OBRAS COMPLETAS DE
ALEJANDRO CARRION

OBRAS COMPLETAS DE
ALEJANDRO CARRION

LOS COMPAÑEROS DE DON QUIJOTE

BANCO CENTRAL DEL ECUADOR

EDICIONES DEL BANCO CENTRAL DEL ECUADOR. QUITO. 1995
    Apartado postal N° 17-21-366, Quito, Ecuador

Obras completas de Alejandro Carrión Vol. 12
Los compañeros de Don Quijote

Diseño de la cubierta: Grupo Esquina
Tipografía: El Comercio C. A., en tipo *Helvética*.
Impresión: Editorial Fraga Cía. Ltda., Quito.

CCU 4217

PRIMERAS PALABRAS

Para justificar este libro debo argüir mi amor por las hermosas palabras, por el arte de con ellas escribir sobre ellas. Esta ha sido una de mis pasiones dominantes. A lo largo de los años, este libro se ha venido componiendo solo, alimentado por esa luminosa pasión y lo entrego a mis lectores seguro de que les será motivo de grata lectura: en él entrarán en contacto con antiguos pobladores de las letras castellanas, dotados de poderosa vida: los caballeros andantes que, invisibles, acompañaban a don Quijote en sus aventuras; el Arcipreste de Hita con su canto jubiloso a la vida; la Madre Celestina haciendo posible el encuentro de los enamorados; el Diablo Cojuelo mostrando la vida de su tiempo; el Lazarillo viviendo bravas y adversas aventuras; la vida en la Universidad de Alcalá en tiempos de Quevedo; una sesión judicial en la Corte del señor Monipodio; la deliciosa personalidad de dos damas españolas que nunca morirán: la Lozana Andaluza y la Pícara Justina; la increíble lengua viperina de tres enemigos de las damas: el Arcipreste de Talavera, Mosén Pedro Torrellas y Sempronio el villano, el que puso fin a los días de la Madre Celestina; la poderosa mano de un Papa español erigiendo una muralla en la mitad del mar; la última aventura de Clarín, el primer periodista que vive en la literatura; la biografía de la rosa, reina de las flores y la vida de esta flor maravillosa en la poesía castellana.

Escrita en un prolongado espacio, esta obra tiene una estricta unidad y acaso la marcha del tiempo solamente pueda distinguirse en cambios en lo que podríamos llamar la decoración del estilo: más barroco al comienzo, cada vez más ajustado a los temas, más apegado a la construcción clásica que, en España, siempre fue barroca. El primer ensayo, que da título y tónica al libro fue escrito en 1947. El autor tenía 32 años y fue invitado por el Núcleo de la Casa de la Cultura en Guayaquil —entonces presidido por Carlos Zevallos Menéndez— a dictar una conferencia en el ciclo dedicado al centenario de Cervantes. Buscando darle alguna variación, pues los demás conferencistas hablaban sólo del libro inmortal y muy incidentalmente de temas conexos, yo me fui a los caballeros andantes y los pacíficos oyentes estuvieron complacidos. Sin los caballeros y sus bravas historias, tan verosímiles como ahora las de Superman o los Guardianes del Universo, pero mucho más bellas, don Quijote no habría sido posible.

Una excursión por la picaresca es para todo el que ama la literatura española una tentación que no es fácil vencer. Yo no hice esfuerzo alguno para vencerla. Solamente que extendí el concepto de picaresca, que según Julián Marías se inicia en 1554 con el primer Lazarillo y termina en 1646 con la vida de Estebanillo González. Pero ya él mismo piensa, por ciertas razones, que están al alcance de todos, que la Celestina tiene derecho a ser citada entre las obras clásicas de ese ciclo que, a mi modo de ver, nunca podrá terminar, pues simplemente es el correspondiente a aquellos que encuentran difícil la vida y se resuelven a dominarla siguiendo caminos no ortodoxos.

De manera que yo cuento en mi excursión con la Celestina en sitio preferente y, aún más, cuento con el Arcipreste de Hita y sugiero reflexionar si la picaresca no comienza con el Libro de Apolonio y sus historias de troteras y lanzaderos. Debo, al respecto, hacer algunas aclaraciones: en las citas, he tratado de modernizar ciertos parlamentos, solamente para facilitar su lectura, no por falta de respeto a esos autores que nada respetaron. Al citar, o al comentar, he usado algunas expresiones que ahora, que somos tan pudibundos, resultan gruesas, pero que entonces no lo eran. Cuento con la comprensión y buena voluntad de quien se atrevió con este libro.

El corto ensayo sobre la "Línea Alejandrina" fue escrito en 1946 y publicado en la Revista de la Casa de la Cultura. La interpretación de "La vida es sueño", en torno del personaje de Clarín, fue mi discurso de ingreso a la Academia de la Lengua y mi "Biografía de la Rosa", a su vez, mi disertación de ingreso al Grupo América. De esta disertación era muy fácil resbalarse a la portentosa aventura de seguir la pista de la rosa a través de la poesía española: sígala el lector, quizá la halle placentera, como fue para mí el investigar y escribir. Desde luego, la Academia publicó mi discurso y el Grupo América hizo lo propio con mi biografía de la rosa en su ilustre revista.

Pienso que mis lectores van a disfrutar de estas páginas: por fin una lectura que no trae problemas ni disgustos. Y al pensarlo, me siento satisfecho.

Conocoto, 1987

LOS COMPAÑEROS DE DON QUIJOTE

1. El mundo contiguo

Creo lícito afirmar que, en los largos siglos vividos por la humanidad, la existencia de un mundo contiguo al duro y lastimante de la realidad cotidiana ha ayudado al hombre a dar cima a su "permanencia en la tierra", cumpliendo, con desfallecimientos transitorios, pero cumpliendo, al fin, el número exacto de días y de noches que le fuera asignado al nacer, sin acortarlo de propia voluntad desesperada. Este mundo contiguo, que está, como si dijéramos, al alcance de la mano, siempre listo a entregarnos sus tesoros, es el de la fantasía, el del soñar despierto, el del suelto imaginar, y a él tienen acceso todos los hombres, pues no hay reglamentos de inmigración que impidan cruzar sus fronteras.

A ese mundo debe el hombre la mayor parte de sus alegrías ilesas, y es en su ámbito donde ha conseguido sus únicos momentos completos. Gracias a él ha podido fugarse de la realidad y vivir, y de él ha traído tanto la obra de arte como los inventos que han hecho menos dura su real existencia, ya que el poeta y el inventor trabajan, parejamente, con materiales que de él provienen. En ese mundo transcurrió la vida de don Quijote, suelto de la ruda coraza de la razón corriente, y en ese mundo los hombres de la Edad Media, como los de todos los tiempos, buscaron su consuelo y de él trajeron mucho de su esperanza. Imaginaron encontrar en él defensa contra la dura injusticia que los rodeaba, creando una noble especie de hombres que vivían para la justicia y el amor, cumpliendo por este doble ideal arduas tareas y dando cima a espantables aventuras, mayores a cuanto las fuerzas humanas podían realizar en la luz meridiana. Esos hombres fueron los caballeros andantes, los compañeros de don Quijote, los que formaron su linaje, ese linaje del cual él se sintió tan orgulloso. Porque don Quijote fue el último de los caballeros andantes y el más completo de todos, y siempre permaneció fiel a sus leyes e ideales y se movió estrictamente dentro de su tradición, y sólo se tentó a abandonarlos a la hora de morir, cuando su razón se trasladó desde el mundo contiguo a este duro mundo donde no hay caballeros, que es el mundo en que habitamos tú y yo, lector, y el cura, y el ama y la sobrina.

Supongo es ya del todo superfluo defender a Cervantes de la calumniosa imputación según la cual trajo al existir de la letra, tan real como el de la carne, al Caballero de la Triste Figura con la menguada aspiración de echar por tierra el irreal mundo de la Caballería. Lo supongo, porque está claro que el aceptar tan insidiosa patraña es igual a cerrar los ojos ante la infinita bondad humana que es lo esencial en la obra de Cervantes: jamás él, que tan necesitado estuvo de defensa, de paz y de consuelo, iba a cegar una fuente de defensa, de paz y de consuelo para todos los hombres tan infinita como el mundo de la Caballería. Ya el viejo don Marcelino, que lo leyó todo y lo entendió casi todo, desmintió hace muchos años, cuando todavía era negra su barba, esta burda calumnia contra la máxima obra cervantina. Ya lo dijo él: "Don Quijote no fue obra de antítesis, ni de falsa y prosaica negación, sino de purificación y complemento, que no vino a matar un ideal, sino a transfigurarlo y enaltecerlo", incorporando en sus páginas con más alto sentido "cuánto había de poético y noble y humano en la Caballería", de tal manera que el Quijote "es el último libro de caballerías, el definitivo y perfecto". Y no fue don Miguel quien dio muerte a la novela de caballerías: fue el surgimiento de una época nueva, en la cual las maravillas de la realidad superaron a las más asombrosas creaciones de la imaginación. Por lo tanto, lector amigo, cuando algún dómine mentecato enseñe en tu presencia que Cervantes dio vida al Quijote con el estrecho ánimo de dar muerte a las caballerías, niégale tu crédito y enróstrale su pobreza de espíritu, que sin examen suficiente le hace repetir una aleve calumnia lanzada contra don Miguel por aquellos hoscos y áridos hombres, de alma escasa, que abominan del dulce y libre ensoñar, y odian la milagrosa e invencible existencia de ese mundo contiguo que sirve de refugio al ser humano contra los ataques de la tristeza y de la soledad, mundo en el que, durante la Edad Media, vivió una poderosa población de caballeros andantes protectores del desvalido y vencedores de los falsos monstruos que nacen cuando la razón duerme, y se esfuman cuando la luz de la inteligencia disipa el reino de las sombras.

La vida, durante la Edad Media, era, si ello es posible, más dura que la dura vida de este siglo. Y lo era por una razón tremenda: porque era una vida cerrada. El hombre carecía de los maravillosos recursos de que hoy dispone para combatir la soledad y la tristeza y fugarse de la agobiante realidad cotidiana. Estaba encadenado al escenario de su nacimiento, y no podía cambiarlo sino con aterradora lentitud, porque los caminos estaban solamente en la tierra, y para recorrerlos no se contaba sino con el propio pie o el caballo. Las sombras nocturnas eran más densas y persistentes, sin la electricidad para dominarlas, sin el cinematógrafo para poblarlas de una falsa vida que nos distraiga de la nuestra verdadera. Porque la lentitud mortal de los días de nieve o de lluvia solamente podía aligerarse con la pesada conversación de un anciano que relataba lejanas batallas, o con la poco frecuente presencia de un juglar que traía noticias del ancho mundo, pero noticias viejas y remendadas, que ya no servían. Ni el periódico de cada día, ni la milagrosa presencia del radio receptor, para estar en contacto con los hombres de las antípodas y para recibir la música libre, que penetra y atraviesa el único mundo sin fronteras: el invisible de las ondas. El tiempo y el espacio eran todavía jóvenes; estaban enteros e invictos; y la vida era cerrada; y la soledad y la distancia más crueles y tenaces. Vivir en la Edad Media era más duro porque el hombre estaba encadenado al suelo y al tiempo mucho más que hoy.

Y también porque era una vida más insegura y más injusta. No había quien cuide de la tranquilidad de los hombres y de las poblaciones, huérfanos hasta de la imperfecta protección del gendarme. La ley era, más de lo que es hoy, susceptible de alterarse por efecto de la terrible voluntad de los poderosos. La inseguridad de los caminos y de los hogares mantenía a los hombres temerosos e insomnes. Quien nacía sin la defensa de la sangre o de la riqueza, estaba, indudablemente, mucho más desamparado que hoy. El alma se encontraba, en mayor grado que ahora, encadenada a oscuras creencias y supersticiones espantables, y la razón no alcanzaba para dar a las gentes la tranquilidad que viene de su luz inamovible. El pecado y el demonio tiranizaban al hombre tanto como la distancia o la fuerza. Y la letra, que es la luz de las almas, era privilegio; y el libro, objeto de lujo, con sus hojas de pergamino sabiamente miniadas; y fuente de peligro, porque en sus pesadas páginas se podía esconder la herejía, celosamente vigilada por los centinelas de la fe, señora de la razón y ama de la inteligencia. Y fue así, casi en calidad de única defensa, contra tan dura suerte de vida, cómo la Edad Media se dio a ensoñar; y, primero por voz de sus juglares —sus poetas andantes— y luego por letra de sus novelistas, pobló su mundo contiguo con la vasta y numerosa gente de la Caballería Andante, en cuyos héroes, vengadores de agravios, cifró toda su insaciada sed de justicia.

Y esta sed fue saciada por los ingenuos hombres de la oscura Edad Media -alguien hubo de llamarla, bella y certeramente, "noche oscura del alma"-, en las noches de soledad, en que el juglar relataba las proezas de los Caballeros de la Tabla Redonda, o de los Doce Pares de Francia, y cuando caían derrotados "los hijos de la sierva", y eran desencantados los hermanos del Caballero del Cisne, y Amadís daba muerte al Endriago y deshacía con su verde espada a Famangomandán, el jayán del Lago Ferviente, y a Mandanfabul, el jayán de la Torre Bermeja, y Percival mataba al Caballero Rojo, y bajo los cascos del blanco corcel de Sir Galaad caían las sierpes, y los gigantes, y las más brutas y espantables mimalías, y se desbatían los siniestros encantos de Merlín y Arcalaus, que presentaban al caballero falsos mundos de indecisa luz y engañosa y fementida venturanza, y eran desenmascarados el falso Galván y el falso Lanzarote, y volvían los verdaderos caballeros de la "sangre ligera" y el pecho inmaculado, presentando ante sus ojos tristes el nunca conseguido espectáculo de la justicia restablecida, del humillado vuelto a su entera calidad humana, y del tirano sumergido bajo tierra. En los monstruos, endriagos y gigantes reconocía el labriego medieval a sus opresores por la fuerza, los señores feudales, los salteadores y los mercenarios; y en los magos, encantadores y alquimistas figuraba a sus opresores espirituales, los que llenaban su alma de oscuros terrores y lo amenazaban con el sambenito, la tortura y la muerte al menor conato de independencia y libre examen. Y era así cómo, en el mundo contiguo, creado por la voz del juglar o la letra del novelista, renacía la justicia y Amadís y Lancelot daban a los hombres humildes la fuerza necesaria para continuar soportando la vida.

Las primeras historias de caballerías, relatadas y cantadas, estaban todas en verso: son las de los ciclos bretón y carolingio y nacieron y se extendieron por Europa desde las anónimas gargantas de los juglares, los poetas vagabundos, correos y periodistas de la Edad Media, cuyo salario era sólo "un vaso de bon vino". El único autor responsable de ellas es el hombre medieval común, que no tenía ni espada ni caballo para defenderse, y cuyo único campeón en la tierra era su libre facultad de ensoñar, de trasladarse al mundo contiguo y en él vencer por brazo de Amadís y amar por corazón de Tristán. La lengua en que estaban construidas era todavía dura, áspera, indecisa; esa línea de romances recién nacidos, aún no pulidos por el tiempo y por el arte. Con ese bárbaro ropaje, Tristán y Parsifal, Lancelote y Lohengrin visitaron a los hombres y se quedaron en sus corazones, dándoles fuerza y esperanza. Tan sólo después de cuatro siglos, cuando ya la Edad Media desembocaba en los nuevos tiempos, y su oscuridad recibía, negra tierra propicia, la luz del Renacimiento en semilla de erudición y descubrimientos, el galopar poderoso de la Caballería Andante se trasladó del impreciso reino de la palabra del juglar, a la segura e invariable vida de la novela escrita, donde humildes y grandes artistas fijaron para siempre la gesta de Amadís, y la de Cifar, y la de Tirant lo Blanch. Y como esos artistas eran fieles de la religión de la maravilla, escondieron sus nombres tras ingenuas leyendas, en las que se contaba que el libro fue encontrado, largos años atrás, en la tumba de un mártir por tierras de Etiopía, o en un raro mármol de Constantinopla dotado de mágicos poderes, o en la cueva donde moró un sabio alquimista en las nunca halladas provincias del Imperio de Tigrida, feudo de uno de los hijos de

Cifar. Y así, mientras el héroe brillaba por el ancho mundo, el nombre del novelista, autor de su existencia, era para siempre olvidado y los historiadores del porvenir inacabable quedan condenados a llenar gruesos volúmenes discutiendo quien pudo ser el autor de Amadís.

Claràmente se perfilan tres tipos de caballero y tres caballerías: la carolingia, aún dura e imperfecta; la bretona, donde el ideal desborda los vasos humanos, y se vuelve mortal e impreciso; y la española, escrita ya, en la que el héroe, creado a conciencia por el artista, sin sujeción a tiranías de tradición o leyenda, aúna los ideales de los ciclos precedentes, los perfecciona y pule en grado sumo, hasta darnos la esplendorosa figura de Amadís, el de la verde espada, el que salió del mar para amar y vencer y jamás morir y que, después de haber sido "el norte, el lucero, el sol de los valientes y enamorados caballeros", entregó la palma al caballero perfecto, nuestro señor don Quijote de la Mancha, el de la triste figura, en cuya historia está, para siempre completa, la verdadera imagen de la torturada alma del hombre.

2. La Caballería, el caballero y sus potencias

El beato Ramón Lull, teólogo, navegante, mártir, poeta, novelista, conquistador, políglota, apóstol y caballero andante, quien asistió personalmente a la fundación del "Ordre de Cavayleria", hecha por mandato e inspiración de Dios, nos da el siguiente testimonio de tan magnífico acontecimiento en uno de sus olvidados libros inmortales: "Habían desfallecido en el mundo la caridad, la lealtad, la justicia y la verdad, comenzando a imperar la enemistad, la deslealtad, la injuria y la falsedad, y de aquí nació gran trastorno al mundo cristiano. Y como el menosprecio de la justicia había sido causado por falta de caridad, fue menester que la justicia tornase a ser honrada por temor; y para todo esto el pueblo fue repartido en millares, y en cada mil fue elegido un hombre, el más amable, el más sabio, el más leal, el más fuerte, el dotado de más noble valor, de más experiencia y más perfecta crianza que los restantes. Y se buscó entre todas las bestias cuál era la más hermosa y la más ligera y corredora y la más sufridora de trabajos y la más digna de servir al hombre. Y como el caballo es la bestia más noble, por eso fue elegido y entregado al hombre que había sido preferido entre mil, y por eso a este hombre se llamó caballero".

Lector amigo: para entrar en el mundo de la Caballería, como para entrar al Reino de los Cielos, hay que creer. Te pido fe para cuánto te cuente, porque de otra manera no podrás encontrar en tu inteligencia la disposición peculiar que hizo posible el mundo de suelta fantasía al que nos vamos entregando. Por lo tanto, te pido creer al milagroso monje medieval, y aceptar como verdad irrefutable que la Caballería se fundó como él lo afirma. He aquí, pues, que el caballero es un hombre más amable, más sabio, leal, fuerte, valeroso, experimentado y cortés que mil de sus cofrades, y que entre ellos ha sido escogido para hacer que la justicia, que había sido menospreciada a causa de la falta de caridad, es decir, de amor al prójimo, fuese honrada nuevamente por obra del temor. Este es el caballero y ésta su tarea. Desfallecerá a veces, que es hombre y como tal adolece de interna debilidad, pero de sus caídas se levantará y continuará cumpliendo su misión, dando cima a su aventura, ardiendo en su puro ideal. Y sobre la tierra le será dado un premio: la flor de las damas, la que su amor escogió entre las mil que la rodeaban, como él fue escogido entre los mil que lo envolvían. Lo acompañará en su empresa la bestia más digna y sufridora: el caballo. De entonces proviene el estrecho vínculo de amistad que une al hombre con el caballo; vínculo que surgió en un tratado solemne, celebrado de especie a especie, no de individuo a individuo. Os proporcionaré un resumen del convenio por el cual la especie humana se unió a la especie equina para realizar las más nobles empresas: El caballo llevará al hombre sobre sus fuertes lomos, obedecerá su voluntad ciegamente y será todo lo valeroso y esforzado que se le pida. En cambio, el hombre no comerá al caballo, ni lo considerará su siervo ni lo maltratará o convertirá en bestia de carga: lo tendrá siempre en elevada consideración de indispensable y predilecto camarada, subvendrá a su alimentación abundantemente, lo enjaezará, lavará, curará y amaestrará y le permitirá morir a su lado cuando luche por el más caro de sus ideales o el más puro de sus amores. Pacto claramente distinto al celebrado con el perro, que no es pacto universal de la especie humana con la canina, sino pacto individual de cada hombre con su propio perro, que será para él fiel amigo y siervo, pero que para los demás hombres será rencoroso y feroz enemigo... Pero este es otro asunto.

El caballo es, pues, esencial para el caballero. No importa que alguna vez Lancelot haya utilizado una carreta, vehículo vil, halado por un buey, mísero animal que no es aliado sino prisionero del hombre. No importa también que Lohengrin haya preferido un batel halado por un suave cisne, que era su hermano, encadenado a la falsa forma por irredimible encantamiento. Son simples excepciones: el caballero, pese a la omisión transitoria de Lancelot y a la reincidente de Lohengrin, no está verdaderamente completo si falta su caballo. Por eso, cuando un mago malvado quiere herir a Cifar en lo más delicado de su alma, hace que todos sus caballos mueran a los diez días de haberlos servido. Y el mago logra su nefando objetivo: una hosca tristeza se prende al corazón del caballero. En la historia de Reinaldos de Montalbán, el caballero-bandido del ciclo carolingio, se sabe de algo verdaderamente enternecedor y terrible: el caballero, sitiado en su castillo por el Emperador, a punto de morir de hambre, resuelve en un gesto de sacrificio definitivo matar a su caballo para alimentar a sus últimos parciales. Cuando llega el momento fatal, la maravillosa bestia se arrodilla ante Reinaldos y, dócil y dulce, extiende voluntariamente el largo cuello, presto a recibir de las manos amadas el golpe mortal, que jamás podrá descargar el terrible caballero, cuyos ojos por primera vez se anegan en lágrimas...

El caballero, además de su caballo, deberá, para ser completo, tener espada, dama y escudero. No se concibe un caballero sin espada: la noble arma es la definitiva forma de su brazo, el filo de su mano, la lógica terminación de sus ojos. La espada y el caballero se corresponderán como se corresponden la letra y la palabra. En ocasiones, una misteriosa espada estará incorporada al cuerpo mismo del caballero: aquella ardiente espada impresa sobre el cuerpo de Amadís de Grecia, cuya empuñadura reposaba en su rodilla y cuya punta descansaba precisamente sobre su corazón, y que en las noches destinadas a la aventura se encendía de angélico fuego y brillaba a través de la fuerte armadura. El caballero pondrá nombre al caballo y también se lo pondrá a la espada, y la llamará "Durenda" por su diamantina dureza, o le dirá "Joyosa" porque con su acero, nunca empañado, dará al caballero la suprema alegría de vencer. A veces, casi siempre entre los imperfectos caballeros carolingios, tan alejados del sutil refinamiento de un Lanzarote o un Amadís, un arma advenediza sustituirá a la espada, apresuradamente, por haberse olvidado en forma inexplicable, ya sea en el otro extremo de un salón, ya en el lecho de la amada, o ya porque la haya colocado fuera del alcance de la mano la artimaña de un felón encantador. Y así, Reinaldos y Bertholais lucharán a puñetazos, como gañanes, y la pelea finalizará con la poco limpia muerte que el primero dará al segundo golpeándolo con un tablero de ajedrez. Y así, Maynete entrará a la batalla de Monfrín armado de una estaca, y se batirá con Hainfroid, el hijo de la sierva, armado con un asador. Pero solamente a estos caballeros de los primeros tiempos, todavía bárbaros, hará falta la espada en el momento preciso. Después, el caballero no se alejará nunca de ella, de la misma manera que no podrá alejarse de su mano ni de sus ojos ni de su alma, en la cual, además, reside el recuerdo de su dama.

El escudero es el agente de negocios, el representante y el sirviente del caballero, el puente que lo comunica con los asuntos del mundo que hacen relación con la moneda, el alimento, la vestidura, todos aquellos desagradables menesteres secundarios, desgraciadamente indispensables, para los cuales, por su pequeñez evidente, no se podrán desperdiciar los minutos del caballero, pertenecientes no al tiempo limitado y raquítico del negocio, sino al glorioso, lleno de luz, tiempo de la aventura. El escudero es, además, el mejor amigo humano, tan adicto como el caballo y la espada, y hace de guardaespaldas, de explorador, de enfermero, de mensajero, de despertador que lleva al loco soñador al mundo real, cuando desde éste se le tiende una celada mortal y, por sobre lo demás, es el interlocutor atento, lleno de objeciones humildes y de esa sólida sabiduría popular, que se concreta en refranes y se niega a aceptar embelecos y novelerías. Y es, además, el autor intelectual de las astucias y añagazas que su código de honor impide tramar al caballero. Será el escudero quien aconseje a Maynete herrar los caballos al revés, cuando huye de Marsilio; y él mismo le alcanzará el asador para dar fin a la disputa con Hainfroid. Y, por último, será a través del escudero que el realismo se colará en la novela de caballerías y la traerá de su territorio aeriforme al sólido, firme campo de la vida. Ribaldo, el abuelo de Sancho, el escudero de Cifar, primera persona de grueso y sólido material común que vive en el mundo de la Caballería, tendrá siempre a su amo por un "mozo loco, desventurado y de poco recabdo", a quien hay que amar y dar gusto como a un niño mimado, pero sobre quien hay que velar celosa, maternalmente, porque sus ojos no pueden apreciar las verdaderas proporciones...

A partir del ciclo bretón, es la dama la fuente de la fuerza y de la debilidad del caballero. En el ciclo carolingio, la dama ocupa lugar secundario, y de ella se sirve el caballero sin escrúpulo alguno, abandonándola luego, como Maynete a Galiana, Pierres a Magalona, Lohengrin a Elsa. Pero en la "materia de Bretaña", el caballero depende de la dama, y de ella recibe la fuerza, y por ella se pierde y enflaquece. El amor que inflama a Tristán por Iseo es más fuerte que el honor, que la sangre, que la muerte, y llena todos los instantes de su vida como una amplia llamarada repleta un edificio incendiado. El caballero está atado a la dama por estrecha e indestructible cuerda de amor, que ella maneja; y la sed de la dama lo atormenta insaciable, así beba de ella con ansia frecuente e incontenida. Así amará Amadís, espejo de los fieles amadores, a su señora Oriana y un día, ya cercanos los enlutados días de la Peña Pobre, donde cumplió espantosa penitencia para recobrar la perdida merced de la esquiva adorada, le confiará su verdad a Gandalín, el escudero, el confidente fiel: "sábete que no tengo seso, ni corazón, ni esfuerzo, que todo me es perdido cuando perdí la merced de mi señora: que de ella e no de mí venía todo... e sábete que tanto valgo para me combatir como un caballero muerto...".

Y es así, con la fuerza que llega a su alma desde los ojos de su dama, con la constante ayuda del escudero fiel, del buen caballo sufridor y esforzado y de la buena espada cuyo brillo ni el aliento ni la sangre empañan, que el caballero cumple, según la voluntad de Dios, su tarea de justicia en el mundo contiguo.

3. La Caballería Carolingia, semilla de las caballerías

El imperfecto caballero carolingio, su gesta toda, llevan al mundo de la fantasía un pesado lastre de realidad histórica. Como los del ciclo bretón, estos caballeros provienen de una materia poética difusa y vacilante, y sus hazañas y genealogías son confusas y contradictorias, pues solamente vivieron en las volubles canciones de los juglares, en los tardíamente romanceros hispánicos, en los lais de Francia y en los mabinogion gaélicos. Y en ambos casos, caballeros y caballerías nacieron del entusiasmo del pueblo por grandes héroes de carne y hueso, hacedores de historia, como Carlomagno, defensor de Francia frente a la temida invasión de los árabes; o como el Rey Arturo, campeón de Bretaña contra la invasión de los sajones. Estos grandes héroes reales, que tienen sitio en la historia, a medida que los fue envolviendo la lejanía adquirieron en los poemas caballerescos la portentosa estatura imprecisa que presta a los árboles la niebla. El caballero carolingio puede ser ubicado en una época precisa del tiempo, en un país claramente determinado en la geografía europea, y su árbol genealógico no es del todo extraño al que respalda la podrida hojarasca de los archivos. El motivo de su lucha no es propiamente caballeresco, es decir, no se contrae exclusivamente a combatir la injusticia y la mentira, a restablecer la verdad y a hacer que sea "honrada" la justicia "por temor". Maynete (que es Carlomagno) y sus Doce Pares, entre los que brillan el Arzobispo Turpín, Rolando, Reinaldos de Montalbán, Guarinos y Gaiferos y los cuatro Aimones, luchan para impedir que el Imperio caiga en poder de los árabes, móvil político, de alta política internacional, en el que se juega el destino de Europa y, por lo tanto, del mundo; o chocan entre sí, rebelándose contra el Emperador, en típicos episodios de revuelta feudal, móvil igualmente político, de política nacional, incidentales momentos de la larga lucha de las naciones para emerger de la confusa atomización feudal. El caballero carolingio es todavía un prisionero del mundo de las evidencias, atado al ser de su tiempo. La dama aún no preside su historia; en ella hay solamente la mujer, relegada a la categoría de agradable accidente o de sacrificada y útil compañera, sometida a su autoridad y librada a su servidumbre; y es inmolada sin vacilar cuando el destino glorioso o el capricho tiránico del caballero lo impone o exige. Maynete no vacilará en abandonar a la divina Galiana, que le dio el amor y el poder en tierras moras de Toledo, para seguir su estrella mediterránea. El amor nace recién al final de la caballería carolingia, en la apasionada historia de Flores y Blancaflor, y es semilla que crece y fructifica en forma inesperada y terrible en los poemas de la "materia de Bretaña", cuyos caballeros, Tristán, y Gauvain, y Lancelot jamás abandonarían a su amada para rescatar una joya, como lo hizo Pierres con Magalona; ni dejarían para siempre a la rubia e indiscreta Elsa, por haber cometido el mínimo y explicable pecado de curiosidad al insistir en su justo deseo de conocer el nombre de su misterioso marido, el Caballero del Cisne. Para los Caballeros de la Tabla Redonda, como para Flores, es la amada la única fuente de la vida, y al privarse de ella, la muerte, la inacción y la locura los invaden y destruyen.

Pero así como el amor asoma, tímido aún, pero ya lleno de portentosa fuerza en la historia de Flores y Blancaflor, también otros extremos característicos de la Caballería surgen en medio de la bárbara y brutal gesta carolingia. Por ejemplo, la pasión por la justicia. Tal es el caso de ese admirable Oberi de Mondisdier, que se dejó matar en defensa de la Emperatriz Sevilla, de quien no estaba enamorado, y a quien jamás había visto, solamente porque le era intolerable el espectáculo de la injusticia con que la había herido el inmundo Macaire. Tal es también el caso de Gudufre de Bullón, héroe caballeresco desprendido del virginal y terrible Duque de las Cruzadas, quien lucha ya por la simple honra de la justicia escarnecida, sin aceptar, tras el triunfo, premio alguno ya sea de tierras, de oro, de poder o de amor. Tras su batalla con el mal caballero Guión de Montefalcone, que había arrebatado las tierras de una doncella tan hermosa como desvalida, Gudufre tuvo oportunidad de dictar para siempre la ley de la Caballería, y su comportamiento en esa ocasión fue la norma insuperable de la conducta del caballero para con la dama, después de la victoria. He aquí como relata "La Gran Conquista de Ultramar" este momento cumbre de la historia de la Caballería: "Cuando la doncella vio que Gudufre había la tierra cobrado, cayó a sus pies, e pidióle merced que de ella e de cuanto había feciese a voluntad; e él respondió que gelo gradescía mucho, mas que aquella lid no tomara él por amor de mujer ni por cobdicia de haber nin de tierra, salvo tan solamente por Dios e por el derecho que él creía firmemente que ella tenía, mas que pues ella había cobrado su tierra no demandaba él más, e con ello era él pagado''.

Los magos del ciclo carolingio son simples aprendices. Si bien ya producen encantamientos, es decir falsas apariencias, apresamientos en la falsa forma y otras desleales y desagradables acciones, si sus hazañas son comparadas con las de los magos de Bretaña, se comprende que aún son simples aprendices. Efectivamente: los hechos de Molgesí de Egremont, pongamos por caso, no van más allá de hacer que se enferme el caballo de Carlomagno para que no derrote en la carrera al de Reinaldos; o de sumir en profundo sueño al Emperador, para que el mismo Reinaldos pueda secuestrarlo. Las brujerías de la suegra de la Infanta Isomberta, al aprisionar en la falsa forma a los siete hermanos de Lohengrin; la magia de los tres anillos que destrozó el corazón de la linda Magalona: todas esas hazañas están más cerca a las brujerías pueriles de "Las Mil y Una Noches", que a las espantosas magias y terribles encantamientos de la "materia de Bretaña". Y en cuanto a las hazañas de Molgesí, como lo habréis pensado, no son sino picardías que se siguen repitiendo y de las que ahora se ocupan las autoridades de policía. La terrible magia de Merlín y de Arcalaus, que crea la falsa apariencia dentro del alma, que cambia los corazones de los caballeros, que arroja sobre sus hombros niebla de delicia y sobre sus miembros hambre de inacción y de molicie, esa magia de infinita maldad recién, en el ciclo carolingio, se inicia con juegos infantiles o con trapacerías de rateros. En cambio, ya están aquí las "encantadoras" del lado de los caballeros, y así como Urganda la Desconocida protegió a Amadís, y el Hada Melusina a Lancelot, protegerá Galiana, la de los negros ojos, a Maynete, el ambicioso y huraño caballero de manos ávidas y corazón de hierro.

La intervención divina, como la de la magia, está siempre presente en la Caballería Carolingia, y se ejerce siempre a favor de los caballeros. El sol se detiene el doble de tiempo que se detuvo para que Josué pudiera vencer a los cinco reyes de Gabaón, con el objeto de que los Doce Pares puedan vengar la muerte de Roldán.

Un ángel viene a descubrir a Lohengrin la oculta verdad de su nacimiento. Todas las milicias angélicas descienden a la tierra, y sobre sus alas cándidas conducen al reino de los cielos el ensangrentado cadáver de Roldán, muerto por la fe en la traidora rota de Roncesvalles. Tramontado el ciclo carolingio, la intervención divina ya no se ejerce en la gesta de los caballeros, solamente Cifar, el extraño fraile-marido-mercenario gozará de ella. Los grandes Caballeros de la Tabla Redonda, y Amadís, y Tirante y Palmerín se batirán solamente al amparo de los lejanos ojos de su dama.

Pero la flor perfecta que nos deja la Caballería Carolingia, sobre la del amor balbuciente de Flores y Blancaflor, sobre la del gentil desprendimiento de Gudufre, sobre la ardiente sed de justicia de Lohengrin, sobre el heroico sacrificio de Oberi de Mondisdier, es la limpia y antes nunca vista flor de la amistad. La especie humana no podrá avanzar paso adelante, en el camino de la amistad, más allá del que avanzó en la Caballería de Francia: la de los caballeros carolingios Oliveros y Artús es la amistad perfecta, por encima de todos los accidentes de la vida y todas las volubilidades del alma. Es el verdadero y puro amor, lejano de todo turbio y extraviado estremecimiento, que une a un hombre con otro, y lo fortalece en el viril clima de esa unión, y por ella, por su fuerza pura y simple, lo lleva a cumplir las más altas hazañas. Cuando Oliveros fue atacado de lepra, la amistad de Artús excedió la humana medida y llegó a lo sublime; con firme mano mató a sus hijos, y lavó con su tierna sangre cálida las llagas purulentas del amigo, y lo sanó. El buen Dios, que esto miraba, dio a Artús y a Oliveros el único premio posible a tanta amistad: la resurrección de los niños.

4. La nueva y misteriosa "materia de Bretaña"

La llamada "materia de Bretaña", poesía ancestral de un extraño pueblo rebelde al cristianismo, virgen de toda contaminación con el alma clásica que renacía en la Edad Media en oscuras versiones de la vida de Alejandro o en desvaídas refundiciones de la Eneida, y totalmente separada de la férrea, áspera y mística condición de la Edad Media francesa y germánica, y de la realista y católica España de la derrota y de la reconquista; poesía del pue-

blo celta, antiguo y desventurado, que se había resistido hosca-
mente a la conquista espiritual y material de Roma, y había derra-
mado su sangre apasionada y delirante peleando contra los sajones; poesía de una extraña raza acosada, empujada a un extremo
del mundo, encadenada a una isla brumosa y áspera, mejor dicho
a un rincón de esa isla, al país de Gales, envuelto en las olas de un
mar turbulento; es una poesía única, incomparable, nunca oída en
el mundo, y vino a abrir a los hombres pasajes insospechados de
sus almas, que hasta entonces habían permanecido cerrados con
siete llaves, y a enriquecerlos y enervarlos, rara y deliciosamente.

Se alza esta poesía sobre el misterio y la pasión, sobre la
fiebre avasalladora e incontrolable del amor, y su expresión perfecta es el ideal de la caballería andante. Si bien con Gudufre y
Lohengrin, con Mondisdier y Flores, la gente carolingia había
llegado hasta la frontera de la errante caballería, siempre su acción estuvo resintiéndose de motivos "racionales y sólidos", moviéndose demasiadamente ceñida a "su tiempo y su espacio un
tiempo y un espacio dominados todavía por el control de la historia
y la crítica del historiador. En cambio, estas delirantes gentes de
Bretaña, estos incontenibles Caballeros de la Tabla Redonda, por
cuyas venas corre una sangre de fuego y de veneno, no conocen
más móvil que la pura aventura en sí, y ejercitan su fuerza en
medio de una tiniebla densa y deliciosa, terrible e inefable; luchan
por el propio e inenarrable placer de la lucha, por el deportivo
espectáculo de la extensión de la propia fuerza y de la audacia
irreflexiva; y viven en medio de una poderosa arquitectura de
ensueño, que la más arrolladora realidad no podrá jamás abatir.
Están instalados en el suelto mundo de la fantasía, victoriosa sobre
todas las cosas, y en él permanecen para siempre. Una raza por
todos acosada y vencida, abrumada por siglos de soledad y de tristeza en un país de bruma, lanzó sobre el mundo ingenuo y bárbaro
de la Edad Media cristiana su incontenible torrente de sueños, que
había crecido infinitamente en las centurias de soledad y derrota,
de sangre insaciada y fuerza simple abatida por la dura realidad. Y
ese torrente, equívoco, malsano, neblinoso y extrañamente pertur-
bador, pagano, desnudo de toda moral, dotado de abrasador e irresistible fuerza vital, se hizo dueño, por siglos, acaso, por la

eternidad, de lo más puro, delicado y alto del alma de Occidente: de su poesía, del esqueleto angélico e intocable de su poesía.

Y como no están defendiendo los intereses de una nación, ni las aspiraciones de una clase; como están luchando por el amor de los sentidos y por un ideal místico e impreciso —pues ellos no son cristianos ni siquiera cuando con Parsifal se dirigen al rescate del Santo Grial— de una eucaristía que no halla sitio en la teurgia católica; como no galopan sobre caminos de un país conocido ni derriban coronas que la historia conozca; es natural que sean ellos los dueños de la tierra, y que compongan la primera Caballería universal, y que no encuentren resistencia para formar parte de todas las literaturas europeas, amalgamándose íntimamente con los héroes de cada nación, y vistiendo sus trajes, y durmiendo en sus casas, y hablando sus idiomas, y admitiendo todas las modificaciones que impone el espíritu de cada literatura nacional. Y así se explica que haya Tristanes, Lancelotes, Parsifales, Galaads y Galvanes de todos los países, sin que la terrible y turbia materia de ensueño y fantasía que los constituye íntimamente, esa "fatal, ilícita y quimérica materia de Bretaña" sufra menoscabo alguno en la esencia intocada e intocable de sus almas.

La figura central de este extraño ciclo poético, que se adueña del mundo de Occidente no obstante su paganismo esencial, está indecisa entre un quimérico rey bretón, Artús o Arturo, de cuya existencia sale fiador el Obispo de San Asaf en una remota Historia de Bitannia escrita en latín, y un poeta y mago celta, que parece haber llevado el nombre de Mirdhin en su lejana y discutible existencia real, pero que lentamente se fue convirtiendo en Merlín, el sabio, el encantador, el inigualado creador de la falsa apariencia. Artús, el rey, el que comía pan con sus caballeros en una mesa redonda, el marido de la reina Geniévre, el padre de Balbina, la amada de Gauvain, fue, ateniéndonos a su fabulosa biografía, hijo de Unterpendragon, rey de Bretaña, y con sus caballeros dio duras horas de batalla a los sajones, y los venció, dominando toda la Insula Afortunada, nombre magníficamente certero que da el Amadís a Inglaterra, y con ella la Escocia, la Irlanda y la Noruega, y perdió la opción al Imperio por la perfidia de un sobrino suyo, Mordret o Morderete -¡uno de esos devoradores de tíos!- con quien se batió, y de quien recibió espantosa herida, por cuyas fauces fuérasele sin duda la vida a no intervenir la Reina de las Hadas, para trasladarlo a la isla de Avalón, a la cual no se puede llegar, y donde vive transformado en cuervo, esperando la hora en que su pueblo sea de nuevo derrotado, cayendo bajo extranjero poderío, para regresar y devolverle la ansiada libertad.

Merlín, el encantador, que murió preso de un encantamiento preparado, como es lógico, por aquella que él amó con todas las fuerzas de su seco corazón de fiera, por su amargamente dulce Viviana, y que al caer para siempre en sus lazos mortales lanzó a taladrar el mundo su alarido espantoso, el "baladro de Merlín", que resonará para siempre en algún rincón, un sí es o no es olvidado, pero siempre oscuramente presente, del mundo de la poesía, fue calificado de "hijo del diablo", y mereció tan siniestro calificativo por haber dado ser, con sus artes maléficas, a ese impreciso y tembloroso mundo de falsas apariencias en que caen los Caballeros de la Tabla Redonda, y en cuyas tenaces y oscuras ciénegas se debaten. La angustia que sobre el mundo de la caballería británica desata Merlín consiste en que, como poseía el terrible poder de cambiar el corazón del caballero con el de un diablo siervo suyo, jamás puede saberse exactamente Galván o Ségramor quien está en la aventura, o si son falsos Galvanes y Ségramores, apariencias del diablo que al mago sirve, mientras el verdadero caballero gime en un sueño de locura o de ansiedad; o en que nunca podemos saber a ciencia cierta si la aventura en pos del Santo Grial que se emprende bruscamente al filo de la medianoche, a la hora propicia de las abracadabras, es la que Dios ordena o la que el diablo quiere. Merlín cruzó por la poesía medieval dejando en su torno un frío silencio de terror difícilmente contenido, pero íntimamente invencible; y solamente un español —naturalmente: sólo un español— hizo su defensa. Ese hombre temerario fue Gutierre Díaz de Gámez, el autor de la "Crónica de don Pedro Niño", y sus palabras éstas: "Merlín fue buen home y muy sabio. Non fue fijo del diablo, como algunos dicen; ca el diablo es esprito y non puede engendrar; provocar puede cosas que sean de pecado, ca esse es su oficio. El es sustancia incorpórea; non puede engendrar corpórea. Mas Merlín, con la grande sabiduría que aprendió, quizo saber más de lo que le cumplía, e fue engañado por el diablo...".

Tú, mi lector paciente, eres libre de creer lo que a tu talante convenga: si Merlín fue o no hijo del diablo, si un espíritu puede o no engendrar, si de una forma incorpórea puede seguirse una corpórea, y si Merlín realizó alguna vez acción mejor que la de caer, envuelto en espantoso alarido, en el encantamiento que hubo de prepararle su adorada Viviana. Nada de lo que sobre esto se ha dicho es definitivo y durante la Edad Media los más altos talentos y preclaros ingenios dedicaron a dilucidarlo no pocas de sus mejores horas. Pero para nuestro propósito, es mejor que hablemos del asombroso caballero Tristán de Leonís y de sus adúlteros amores con la reina Isolda. Es ésta una admirable y desgarradora historia de loco amor, y en ella surge un nuevo ideal —dulce y fuerte entre todos— para la vida del ser humano: el ideal del amor todopoderoso, que lo dominará desde entonces, un año cualquiera de los comienzos del Siglo X de la Era Cristiana, hasta ahora, un año cualquiera de la primera mitad del Siglo XX de la misma Era. Diez siglos, si no me falla la cuenta.

Tristán de Leonís, Caballero de la Tabla Redonda, máximo príncipe del loco y triste amor, fue gran tañedor de arpa, como cumple a quien para sufrir de amor había nacido; de fuerte estructura, nadie entre sus pares pudo vencerlo a la carrera ni en la noble lucha con el cuerpo desnudo; entre todos los paladines de la corte del Rey Arturo fue el primer esgrimidor de espada y el insuperable tirador de arco; su flecha guiada por invisible mano, prendía siempre su diente, en el centro del blanco o en el corazón de la presa: hijo primogénito de Nemrod, era el más diestro cazador del mundo, y el que mejor destazaba y aderezaba la caza, única virtud doméstica que está consentida al caballero. Era hermoso además: inútil es decirlo. Un día bebió un licor maldito, filtro de amor y de ansiedad, llamado el "lovendranc", y se sintió atado para siempre con loco amor adúltero, a la reina Iseo (Iseult, Isolda), loco amor que era (¿para qué describirlo a quienes lo han sentido?) Una mezcla de suprema voluptuosidad e infinito tormento, y que, de desventura en desventura y de loca y terrible aventura en aventura, hubo de conducirlos a común y lamentable muerte, y —ya unidos por ella— a dos tumbas contiguas, sobre las cuales crecen plantas que se entrelazan tiernamente. Tristán e Isolda se entrelazaron, al decir de los viejos poemas, con "el entrelazamiento indestructible de la madreselva y el avellano" y de su llanto, vertido cuando ya llameaba la muerte desde la herida envenenada, creció una planta capaz, ella sola, de fecundar a las mujeres, conforme a la inatacable autoridad de este viejo romance castellano:

> Júntanse boca con boca,
> cuanto una misa rezada;
> llora el uno, llora el otro,
> la cama bañan en agua:
> allí nace un arboledo
> que azucena se llamaba.
> cualquier mujer que la come
> luego se siente preñada...

La historia de Tristán e Isolda glorifica un amor ilícito, una pasión rebelde a la ley de la sociedad que manda no invadir el lecho del hombre, y a la ley de Dios, que manda no desear la mujer del prójimo. La pasión que consume a Tristán y quema a Isolda es mortal e incurable; en ella se aniquila la voluntad, la vida se extingue, consumida por espantoso e insaciable amor de los sentidos, crecido sobre el alma, al alma avasallando. Y de esta llama que ni la muerte puede apagar brota un torrente de poesía incontenible, que invade todos los horizontes del artista creador, y que estalla en raudales de apasionada voz, aullante y eterna, en el "Tristán" de Wagner.

Esta historia de amor, de muerte y de sangre expone, en forma clara y terminante, el ideal de amor de los Caballeros de la Tabla Redonda, que impondrán al mundo y que, mejor que yo os va a precisar un sabio francés que fue también poeta: Gaston Paris. Oídlo: "Hay en la poesía bretona una concepción del amor tal, que no se encuentra en ningún otro pueblo ni en ninguna otra poesía; del amor ilícito, del amor soberano, del amor más fuerte que el honor, más fuerte que la sangre, más poderoso que la muerte; del amor que enlaza dos seres con una cadena que todos los demás y ellos mismos no pueden romper; del amor que los sorprende a pesar suyo, que los arrastra al crimen, que los conduce a la desdicha, que los lleva juntos a la muerte, que les causa

31

dolores y angustias, goces y delicias incomparables y sobrehumanos: esta concepción fascinadora nació entre los celtas y se realizó con el poema de Tristán e Isolda".

La segunda gran aventura de la Tabla Redonda no es de amor a mujer, sino de eucaristía. Es la aventura del Sir Percival y la demanda del Santo Grial. Refleja el mismo entregamiento, la misma pasión superior a las fuerzas humanas que sienten entre sí la Reina Isolda y su maravilloso amante enloquecido; pero en esta ocasión no van los hombres tras un goce carnal, sino tras el vaso que contiene las gotas que saltaron del costado de Cristo, al herirlo la lanza de Longinos, reliquia sublime que en el Castillo de Montsalvatge guarda una teoría de misteriosos caballeros. La gesta de Parsifal es la de la absoluta pureza, del caballero virgen, del anti-Tristán, de aquel que jamás ha cometido pecado y nunca se ha dejado abrasar por la llama que consumió al de Leonís.

En un castillo misterioso —para adoptar la forma definitiva del poema, tal como la fijó para la eternidad Wolfram von Esenbach— una milicia angélica guarda el Santo Grial, el vaso donde José de Arimatea recogió la sangre del Salvador, y la terrible lanza de Longinos que entró en el sacro costado y provocó el saltar de la sangre. Solamente un caballero libre de toda mancha "el muy puro", podrá apoderarse de la preciosa reliquia. Si el caballero hubiese cometido pecado, aun cuando sólo fuese con el pensamiento, la lanza de Longinos, animada por invisible mano, le causará en el pecho una herida que manará sangre incontenible-blemente, y solamente se cerrará cuando el caballero inmaculado, el único, el verdadero, rescate para siempre el Santo Grial. Parsifal intentó, como tantos, la terrible aventura. Fueron con él todos los Caballeros de la Tabla Redonda —Bohort, Perce-neige, Clama-dieu, Florent, D'Itolac, el rey Beaudémagu, el Senescal Ké, Gamu-ret, Angevin, Patricio, Sir Galaad, Sir Lancelot, Galván, Sir Ségramor— para protegerlo en todas las etapas de la marcha, menos en la última, en la que solamente podría protegerlo su pureza. Ya antes que Parsifal, Ségramor, hijo de Lancelot y de la reina Ginebra, había fracasado en la temeraria empresa, por no estar puro, por haberlo invadido el loco amor humano. La lanza se había alzado contra él y mordido su pecho con incurable llaga. Ancha rosa de sangre decoraba su jubón blanco, digno de su pálido rostro. El diablo, por medio de Merlín, se oponía tenazmente a la empresa, creando mundos de falsa apariencia, aposentando diablillos burlones y rufianescos en los corazones de los caballeros, aprisionándolos en la falsa forma, tendiéndoles lazos de tentación y de concupiscencia, apartándolos de la vida, encharcándolos en la molicie del cuerpo y la pereza de la inteligencia. Parsifal, el inmaculado, dio cima a la aventura y tomó en sus manos puras el Santo Graal mientras la lanza permanecía inmóvil. El resto de su vida lo pasó el angélico caballero en oración ante la santa reliquia. Y cuando vino la muerte a buscarlo, el vaso de la lanza, en medio de inmateriales resplandores, subieron a los cielos. Porque ya nunca volvería a nacer un caballero de la pureza de Sir Percival.

Parece que nos halláramos ante una aventura de acendrado cristianismo, frente a una hazaña de santidad. Pero no hay que engañarse: la forma en que se lleva a cabo la aventura, la sed por coronarla, no es la sed cristiana por el servicio divino: es la sed pagana, la sed deportiva, y se va tras el Graal como tras un trofeo. El vaso aparece como una joya mágica, y es claro que se trata de un antiguo totem celta, resto de un ancestral culto de la sangre, que la posteridad cristiana ha convertido en asunto postizamente eucarístico. Además, Parsifal no está seguro de su triunfo. Otros poemas, de igual edad que el suyo, le arrebatan la palma de caballero inmaculado, inhumanamente puro, abroquelado contra el pecado, para dársela al blanco Sir Galaad, llamado Blancharmure, el resplandeciente doncel de alma de lirio, que nació del amor de Lancelot y el Hada Melusina y que en la misteriosa y milagrosa sangre que recibió de su impalpable madre, la "sangre ligera", tenía impenetrable escudo para defenderse de la concupiscencia, del hambre de la carne que a Parsifal, hijo de hombre y mujer, debía faltar, porque la absoluta pureza no conviene con la flaca condición de los hombres. Pero ya dos grandes poetas, en diferentes siglos, dos de los mayores poetas germánicos, Wolfram von Esenbach y Ricardo Wagner, fallaron la cuestión para siempre. Fue Parsifal quien conquistó el Graal. No era necesario, para ser el "muy puro", el "sin mancha", poseer en las venas la "sangre ligera": bastaba la sobrehumana resolución de que eran capaces los Caballeros de la Tabla Redonda; bastaba poner en la conquista de la Eucaristía la misma enloquecida pasión que en la conquista de Isolda. Y fue así, por virtud de esta fiebre, de esta pasión incontenible, que Parsifal pudo ser más puro que la nieve o que la llama y tomar en sus manos la joya divina del Castillo de Montsalvatge.

Para dar fin a esta veloz incursión por la "materia de Bretaña", solamente la tercera historia inmortal: la de Lanzarote del Lago y la Reina Ginebra. Dejaremos de lado las historias menores, la vida del bello Gauvain, del dulce Ségramor, del deslumbrante Galaad, y aun pasaremos por alto la hazaña de Sir Joffre, que amó a la Reina Ginebra hasta el extremo de obligar a ir a ella y postrarse a sus pies, y proclamarla la más bella dama del mundo, a todos los caballeros que vencía en su larga, en su incansable andanza. Pero de Lanzarote no es posible olvidarse, porque es grande entre los grandes de las caballerías de Bretaña y de todas las caballerías. Aun cuando fue criado por las hadas, por las "donas del lago", y aun cuando esposo de la divina Hada Melusina y padre del inmaculado doncel Galaad, Lanzarote era frágil a la seducción de las mujeres como cualquiera de nosotros, y por ello es el más humano y el menos delirante de los Caballeros de la Tabla Redonda. Si bien amó a la Reina Ginebra con apasionado y adúltero amor, como cumple a un perfecto caballero de Bretaña, y si bien la rescató del poder del Rey del País de Irás y No Volverás atravesando, con su dulce cuerpo en brazos, un río de fuego por un puente que era el filo de una espada, no consiguió mantenérsele fiel, y tuvo amores —duro es el confesarlo, no el tenerlos—, además de los muy lícitos con su impalpable esposa el Hada Melusina, con las muy carnales princesas Ada de Limors e Iblis de Chadilimort y aún, según algunos, si bien me cuesta creerlo, la misma tierna y largamente amada Reina Ginebra lo sorprendió en la Isla de la Alegría dulcemente aprisionado por los redondos brazos de la hija del Rey Peles, después de lo cual, para Lancelot, naturalmente, la Isla de la Alegría se trocó en la Isla de la Tristeza.

La vida de Lanzarote —o, si lo queréis, Lancelot du Lac, Lancilotto, Arselot o Ansaroth, que de todas estas maneras es permitido nombrarlo- está dedicada íntegramente a la mujer, y su Reina fue el norte de su vida, acaso alguna vez nublado por una agradable nubecilla, tan dulce como transitoria. Porque si bien Tristán es el desenfrenado amor compartido y arrollador como un torrente, no hay que olvidar que el punto de partida de tan maravillosa locura fue un engaño, un filtro, algo en lo que no estaba la voluntad del caballero ni de la triste Reina Iseo; y Parsifal es la sublimación del desenfrenado amor de Tristán en el eucarístico ideal de la suprema pureza; Lanzarote es el ideal de la mujer convertida en norte y en única razón valedera de la vida, y este ideal es voluntariamente perseguido y lúcidamente aceptado, sin engaño ni magia. La mujer, para Lancelot, ya no es la esposa sumisa que dirige el hogar con mano sabia y practica el amor por obediencia a un vínculo sagrado, muchas veces contraído sin su voluntad; ni la amante que proporciona agradables noches, siempre recordadas con amorosa gratitud; sino "una criatura entre divina y diabólica, a la que se tributa un culto idolátrico, inmolando a sus pasiones y caprichos la austera realidad de la vida, erigiendo el orden sentimental en disciplina ética" y poniendo por sobre todas las cosas la sonrisa de una boca roja y el amoroso brillo tiránico de dos ojos, azules o negros, poco importa, que disponen para siempre de la acción, del pensamiento, de la vida misma del hombre, tanto en el sueño como en la vigilia.

Así como la "materia carolingia" nos dejó la amistad y el proceder gentil, la "materia de Bretaña" hizo legado a la humanidad del amor romántico y del ideal femenino, y elevó el amor a la suprema calidad de motor único de la existencia, y a la mujer la exaltó al sitial de máximo premio y de única felicidad, de ser perfecto, inigualable sobre la tierra. Y por ello en definitiva, Tristán y Lancelot son hoy más vivientes que Percival y Galaad entre los Caballeros de la Tabla Redonda, ya que vivimos en un mundo en el cual todos estamos, como Ségramor, imposibilitados para tentar la aventura del Santo Grial por haber ya antes tentado, con toda el alma puesta en la fascinadora empresa, la aventura de la conquista de Isolda y del rescate de la Reina Ginebra.

5. La Caballería Española

Y he aquí que hemos llegado —sin sentirlo— a la madurez de las caballerías, que acontece cuando el espíritu español entra en ellas. Las historias de caballerías españolas llegan después de todas, cuando el idioma está ya elaborado, cuando ha terminado de crecer la lengua vulgar, cuando ya está apta para vivir la vida literaria; cuando los hombres han descubierto el placer caudaloso de leer "cosas de ficción" que claramente se sabía nunca acontecidas; cuando otros hombres habían descubierto que el escribir esas historias era una ocupación lo suficientemente digna para dejarla llenar una vida con gloria y con provecho. El caballero español tiene su gesta escrita. No depende de la voluble memoria de los juglares, y su historia y su genealogía no cambian en cada venta, en cada castillo, en cada feria. Su gesta no solamente es perdurable, sino inmutable: la sustenta, base inconmovible, la letra escrita. No surge de la improvisación, no es la desbocada imaginación del poeta vagabundo, la que lo saca, es desmedido relato, de la vieja leyenda dormida en la memoria y lo lanza a la vida efímera y gloriosa de la canción de gesta o del romance viejo, del lais melancólico o del mabinogion brumoso. Es la lenta elaboración del novelista, del hombre que primero crea al personaje y luego traza un mundo de magia y maravilla para que en él realice su hazaña y cumpla su aventura. En la novela española de caballerías, la primera novela de esta clase, todo está previsto y calculado, pero no previsto con frialdad ni calculado con tacañería: la imaginación del creador, del hombre encorvado sobre el papel, sobre la blanca pluma de ganso, es tan suelta y fogosa como la del juglar, pero en su soltura y en su fogosidad admite la maravilla de dotar al relato de premeditada arquitectura. Arquitectura que, como piedra eterna, fija la letra para siempre, en la inmutabilidad invencible del libro, de la combinación de letras y papel protegida por gruesas cubiertas de cuero curtido. Por esto, es la novela de caballerías, creación del genio de España, la edad madura de las historias de maravilla, en las que encontró su exacta expresión el mundo contiguo de los hombres durante el medioevo. Madura la historia caballeresca a medida que madura el hombre medieval y declina hacia su final glorioso cuando, tras las tocas liliales de Isabel de Castilla florece un mundo nuevo para el espíritu, el Renacimiento; y un nuevo mundo para la aventura: América. El héroe de la novela caballeresca española está ya definitivamente formado: participa de las características carolingias y bretonas, pero se ha afinado y equilibrado en grado sumo. Librará la última batalla contra las evidencias, la más loca de todas, en un equilibrio curioso, que deshará luego en una carrera desenfrenada al precipicio fácilmente colmable de la exageración, del disparate y de la fantasía, a la que el derroche sin medida seca, cansa y agota: un trayecto igual al que, un siglo más tarde, iba a seguir la mirífica poesía del Cisne de Córdoba.

En la novela española de caballerías, el caballero regresa a la ruta para la que fue creado, la de hacer que la justicia sea honrada por temor, ruta por donde el caballero carolingio, que no es el ambicioso Maynete, ni el ingenuo Pierres, ni el salteador Reinaldos, sino el implacable Lohengrin, el gentil Gudufre y el cordial Artús del Algarbe, supo caminar hacia el fin de su ciclo. Y conserva la fuerza de pasión incontenible que tanto Tristán como Parsifal ponían en su empresa, ya fuese de humana o célica aventura, de humano o célico amor, pero no se hunde en la locura ni se consume en la deportiva y estéril pasión por la aventura. La caballería es, en la novela española, como lo dijera el en otras ocasiones disoluto e indiscreto Francisco Delicado, prologuista de las primeras ediciones del Amadís, que en esta ocasión habla con verdad y temor de Dios, ''un arte muy alto, que el Altísimo y Soberano Señor lo constituyó para que fuese guardada la justicia y la paz entre los hijos de los hombres, y para conservar la verdad y dar a cada uno lo suyo con derecho...''.

El caballero español, el que llegó al último, es ya el verdadero caballero universal y conquista el mundo europeo en una vertiginosa ''blitz-krieg'' literaria, nunca antes conocida. El primer excelso exponente, Amadís, el de la Verde Espada, que salió del mar para vencer, para amar y para jamás morir, cabalga por las tierras del trágico y glorioso continente y alumbra la vida de sus hombres, y solamente rinde su palma inmortal ante el caballero perfecto, Don Quijote de la Mancha, el de la Triste Figura, en cuya historia está, para siempre completa, la verdadera imagen de la torturada y contradictoria alma del hombre. El caballero español no está emparentado con ninguna realidad histórica, y los escenarios de su hazaña nada tienen que ver con la real geografía de la tierra. Los héroes españoles de la poesía popular, Mío Cid Campeador, el conde Fernán González, los Siete Infantes de Lara, el rey don Pelayo, restaurador de la España Cristiana y el rey don Rodrigo, que la perdió por amor: ninguno de ellos sufrió la transformación caballeresca de Carlomagno o de Arturo y sus pares. Los héroes españoles siguieron, austera y juiciosamente, viviendo en el terreno y en el clima de la historia, ligeramente agrandados, pero sin abandonar jamás su sólida, su inconmovible calidad de personajes reales, motores efectivos del drama de su gran pueblo. Y por eso, por no ser naturales de ningún pueblo, ni caber ciertamente en ninguna historia ni geografía, estos caballeros de Gaula, de Sobradisa o de Tigrida fueron recibidos en Europa entera, y la conquistaron con facilidad asombrosa, y quienes se rindieron a su encanto y los dejaron señorear en sus mentes nunca abrieron suficientemente los ojos como para darse cuenta de que, en realidad, ellos, los últimos, los perfectos caballeros andantes, eran España, solamente España, únicamente España, y que, con ellos, era la primera de las muchas veces que España conquistaría el mundo.

Comienza la caballería española con una curiosa historia, larga y pesada, debida al canónigo toledano Ferrant Martínez, publicada hacia 1305. Es la historia del Caballero Cifar, de sus hijos Roboam y Garfim y de su escudero Ribaldo. Esta historia no es exclusivamente de caballerías. Está entretejida a la vieja e ingenua manera bizantina de modelar, hecha a base de laboriosas e inverosímiles cadenas de pérdidas, encuentros, reconocimientos, vueltas a perderse, a encontrarse y a reconocerse, y abarca un tomo completo de piadosos razonamientos y "exiemplos" a la manera del beato Ramón Lull, error de técnica novelesca que no habremos de reprochárselo al buen cura toledano, si recordamos que Dostoyevsky, el que dio definitiva figura a la novela moderna, incluyó en su obra maestra, "Los Hermanos Karamazóvi", un tomo íntegro con los sermones del Padre Zózima. En su segunda parte, la dedicada a contar las hazañas de Garfim y Roboam, participa en alto grado de la "materia de Bretaña", y posee páginas de magia delirante dignas de la gesta de Tristán de Leonís, en las que se relatan los apasionantes y temerosos amores de la Dona del Lago y el Caballero Atrevido. Cifar es una especie de caballero-monje, que al mismo tiempo fuera un buen burgués padre de familia, a ratos un amante (muy cristianamente, sin lujuria) y a ratos un indiferente y olvidadizo mal marido, que abandona a su mujer por el temor de perder buenas situaciones (lo cual no habla, ciertamente, muy bien de su condición moral, tan santurrona, por otra parte); y que a esta ambigua dualidad mezcla la de un soldado mercenario, una especie de "condottieri" del Renacimiento. Dios lo protege a todas horas, no obstante sus grandes defectos y pecados. Además, Cifar tiene la curiosa particularidad de ser el único caballero que sale de aventura acompañado de su esposa, "la buena dueña Grima", de sus dos niños de tierna edad y de su pillo y delicioso escudero Ribaldo. En sus andanzas, un hijo se le extravía en las calles de una misteriosa y grande ciudad; el otro le es arrebatado en el bosque umbrío por las fieras, las cuales desde luego, no lo devoran, sino que lo crían como a Mowgli la Rana y a Tarzán de los Monos; y unos emprendedores piratas le roban la mujer, que debía ser bella para que se tomaran tal molestia; pero el buen Dios, por medio de sus ángeles, cuida que estos extravíos y pérdidas no sean definitivos, precave contra los peligros mortales a la asendereada y desperdigada familia y provee a su prosperidad, cuidando reunirlos cuando Cifar ha sido exaltado al trono de un hipotético y aéreo país. Sus jóvenes hijos llegan a ser famosos caballeros y aun Ribaldo, al fin de sus años, en premio a sus servicios, recibe la sacra investidura y es el "Caballero Amigo".

Este personaje, Ribaldo, que está maravillosamente tratado, tiene importancia decisiva en el proceso de la novela medieval de caballerías y no deja de ser curioso el hecho de que está presente en la más antigua obra del género -que es el Cifar-, pues si bien hacía siglos que existían los poemas caballerescos, la más antigua novela de tal tema es ésta, la del Arcediano de Toledo. El Ribaldo, escudero, ejemplar, que con razonable frecuencia y mucha justicia se lamenta del poco seso de su amo es, sin disputa, el legítimo abuelo de Sancho, y con él penetra, con irresistible ímpetu, a las praderas y montañas de la caballería el realismo español que un día habrá de sofrenarla y someterla. Ribaldo es un hombre del pueblo, como le cumple a un escudero, y como le cumple a un hombre del pueblo es de sólido seso y mejor razonamiento, ancho depósito de sentido común, ducho en estratagemas y jugarretas, munido de amplia experiencia de pícaro rodador de caminos, de abuelo del Buscón, práctico como un mesonero y leal entrañablemente a su amo; y —como el bondadoso Sancho— está inexplicablemente entusiasta por las quiméricas empresas del Caballero, a quien ayuda con maternal amor, robustecido por sentencias y refranes tan abundantes como oportunos. Y por este camino, haciendo excepción del Amadís, en el cual el realismo no tiene entrada alguna, en otra obra de indudables méritos, el Tirante el Blanco, en la cual escenas que anuncian la cercanía del Quijote nos llenan de alegría, se demostrará muy claro que el realismo no puede soportar por largo tiempo que se lo excluya de su parte en las feraces praderas del mundo contiguo.

Tras la un poco oscura y desdichada historia del Caballero Cifar, apareció, como un enviado de Dios, el que debía ser el más grande de los caballeros andantes, de los que antecedieron al de la Mancha; aquel que, como lo dijo Urganda la Desconocida, su protectora alada, "atravesó el mundo venciendo muchos caballeros e fuertes e bravos gigantes, haciendo tremer las brutas y espantables animalias y habiendo gran pavor de la braveza de su fuerte corazón"; aquel de quien diría don Quijote que fue "el norte, el lucero, el sol de los valientes y enamorados caballeros, a quien debemos imitar todos aquellos que debajo de las banderas del amor y de la caballería militamos": Amadís sin Tiempo, hijo de rey, el de la Verde Espada, el que surgió del mar y del amor. Era hijo del rey Perión de Gaula y de la dulce y ardiente Elisena, pequeña hija de Garínter, otro rey de insignificante y difícilmente ubicable país. Su historia la escribió un alto e ignoto ingenio, que bien pudo ser un caballero galaico o portugués llamado Vasco de Lobeira, o cualquier otro caballero de Galicia o de Portugal que tuviese otro nombre y, para nuestra dicha, alcanzó a llegar a nosotros trasladada a un castellano de singular nobleza y donosura, en una nueva redacción que volvió inmortal a García Ordóñez de Montalvo, el cual, en punto a manejar el idioma tan solamente cede la prelacía a Cervantes.

Acaso solamente el Quijote venza al Amadís en cuanto a universal influencia ejercida sobre los hombres. "Obra capital en los anales de la ficción humana", lo llamó uno de nuestros más sabios historiadores, y ello es la pura verdad. La novela de caballerías toma, a partir de él, un rumbo nuevo, el final. Se convierte en una obra elaborada por escritores sagaces, conocedores de su oficio, que saben a maravilla lo que se proponen. Todo está previsto, y ningún episodio o personaje se ha introducido sin propósitos anticipadamente concebidos, sin una intención que aparecerá clara hacia el fin. Como obra de entera y gloriosa ficción que es, el Amadís, en su totalidad, es un prodigio de libre y sabia creación, y transcurre íntegramente en el más puro y suelto mundo de la fantasía, sutilmente regido por una interna disciplina que no excluye la pasión libremente desencadenada. Don Marcelino hizo de este personaje inmortal y de su hazaña la siguiente, insuperable síntesis: "El ideal de la Tabla Redonda aparece en el Amadís refinado, purificado, ennoblecido. Sin el vértigo amoroso de Tristán, sin la adúltera pasión de Lancelot, sin el equívoco misticismo de los héroes del Santo Grial, Amadís es el tipo del perfecto caballero, el espejo del valor y de la cortesía, el dechado de vasallos leales y de finos y constantes amadores, el escudo y amparo de los débiles y menesterosos, el brazo armado puesto al servicio del orden moral y de la justicia. Sus ligeras flaquezas lo declaran humano, pero no empañan el esplandor de sus admirables virtudes. Es piadoso sin mojigatería, enamorado sin melindre, aunque un poco llorón, valiente sin crueldad ni jactancia, comedido y discreto siempre, fiel e inquebrantable en la amistad y el amor... Amadís es el prototipo de los leales amadores: Oriana es la única señora de sus pensamientos: si falta a la fe jurada no podrá pasar el Arco de los Fieles Amadores que dispuso el sabio Apolidón en la Insula Firme". Y Amadís, el perfecto amador, pasó el Arco, por el cual queda de hecho incontrovertiblemente probado que es calumniosa su pretendida aventura con Briolania, aún cuando se diga que cedió a los requerimientos de la hermosa con permiso de Oriana.

El amor de Amadís por la dulce criatura que él rescatara del poder de Arcalus es firme, pero no platónico. Como Tristán con Isolda, como Romeo y Julieta, Amadís hace suya por la carne a la incomparable, a la intransferible, a la única, que se le entrega llena de jubilosa pasión. Oriana es personaje tan decisivo en la historia de Amadís como Isolda en la de Tristán, y el héroe está entregado por entero a su culto durante su incansable aventura. Bajo la protección milagrosa de Urganda la Desconocida, una maga misteriosa y benéfica que muda constantemente de apariencia y viaja sobre dragones o serpientes aladas, envueltas en espesas nubes,

Amadís triunfa en todas sus empresas, y todo el mundo lo ama, y su leyenda se lee y comenta con singular fervor. Tanto entró su historia en el alma de las gentes sencillas que, en cierta ocasión, como nos lo cuenta don Francisco de Portugal en su "Arte de la Galantería", un hidalgo español, al acercarse a su casa, oyó con pavor que todas las mujeres que en ella habían lloraban desesperadamente. Temiendo que se le hubiese muerto un niño suyo de pocos meses, que tenía enfermo, apresuró el paso y preguntó la causa del general lamento, y si ésta era la que él temía. "Le contestaron que no; replicó más confuso: Pues, ¿por qué lloráis? dijéronle: Señor, ¡hase muerto Amadís!".

Tras esta obra maestra, vino una verdadera avalancha de novelas de caballerías, tal, que en toda una noche no avanzara a nombrarlas y tres vidas longevas no fueran suficientes para leerlas. Sus protagonistas llevaban nombres cada vez más extravagantes e inverosímiles, sus hazañas se repetían incesantemente, copiándose entre sí de impúdica manera los autores, y cada vez era más seca y estéril la imaginación de quienes, ya profesionalizados, las componían. Continuó indefinidamente la historia de los descendientes de Amadís, y al mismo tiempo surgió la inextinguible ralea de los Palmerines, y con ella vinieron don Clarián de Landanís, y don Florisel de Nisea, don Floramante de Colonia, don Clarisel de las Flores, don Cristalián de España, don Policisne de Beocia y mil más, ya del todo olvidados. Algunos ingenios de iglesia adentro, torturaron sus secos meollos para malparir algunas "caballerías a lo divino", como esa bien intencionada e irreverente "Caballería de la Rosa Fragante", que hubo de prohibir la Inquisición. Y en medio de tan confusa caterva, "flor entre abrojos", un libro grande y noble: "La historia del Caballero Tirante el Blanco" ("Tirant lo Blanch" en su original catalán), que comenzó a escribir el 2 de enero de 1490 el magnífico y virtuoso hidalgo Mosén Johannot Martorell, remotamente inspirado en el glorioso, inigualado y lamentable destino del inmortal (si bien olvidado) caballero catalán Roger de Flor. De este buen libro, canto de cisne de la Caballería Andante, dijo ese excelente crítico literario que fue el Cura, durante el donoso escrutinio de la biblioteca del Ingenioso Hidalgo: "Dígovos verdad, señor compadre, que por su estilo este es el mejor libro (de caballerías) del mundo: aquí comen los caballeros, y duermen y mueren en sus camas, y hacen testamento a la hora de la muerte..." Y en esto radica su definitiva importancia: por sus páginas penetra ya, en forma arrolladora, el realismo en las novelas de caballerías y las trae al mundo real, preparando la entrada de Don Quijote, caballero que anda sobre la tierra firme, y que, en lugar de encontrarse con la maldad del mundo simbolizada en endriagos y gigantes, en alquimistas y malandrines, la encuentra tal cual ella es, en las gentes de estrecha cabeza, chico corazón y alma escasa, haciendo cada día su tarea de ruindad y tontera y cada semana cometiendo su porción de ruindad. Se reúnen en el Tirante los elementos definidores del Quijote: humorismo y realismo. Los nombres de los personajes rebosan fresco ingenio: allí está la doncella Placerdemivida, ducha en las blandas artes de Venus; la discreta viuda Reposada, celestina traidora que sirve a dos rivales; el flamante y pesado caballero don Quirieleisón de Montalván... Tirante sufre los ordinarios percances que sufren los hombres ordinarios: un día lo ataca un perro furioso, y para defenderse de la rabiosa bestia usa la espada, el arma sagrada que únicamente debía cruzarse con el acero de otro caballero, de igual prosapia y jerarquía; en otra ocasión, con un descomedido caballero francés, cuya habitación compartió en una venta, sostiene una descomedida batalla tras que el caballero, cuando hablaban de cama a cama antes de conciliar el sueño, se atrevió a dudar de la sin igual belleza de su señora Carmesina: su indignación no dio tiempo a que ambos caballeros se pongan los vestidos, y el combate hubo de librarse estando ellos en camisa y con las almohadas como escudos. Otra vez saltando Tirante la ventana del dormitorio de su amada (pues nunca él tuvo la castidad de su excelso colega el manchego) se rompe la escala y le fracasa una pierna, que no cura ningún mago con bálsamo misterioso, sino un médico común y corriente... Al final, el caballero catalán muere de pulmonía, en su cama, con mucha dignidad, haciendo prolijo testamento, disponiendo muy cuerdamente de sus bienes y dejando una suma para aplicarla, en misas, a su alma. Esta muerte se parece mucho a la del Ingenioso Hidalgo, si bien, para amarga desventura del manchego, mientras a él tan sólo lo rodeaba la burguesa solicitud del ama y la sobrina y las lágrimas verdaderas de Sancho, al catalán lo acompañaba en la suprema hora su dulce dama, bella flor de pasión, que murió sobre su cuerpo exánime una muerte digna de Isolda al lado del cadáver de Tristán.

He aquí cómo, tan sólo con tres obras maestras —las únicas salvas entre las mil perdidas— España trajo a la novela de caballerías, del suelto y desaforado país de la invención irrefrenable al sólido e inconmovible terreno del realismo, en el que la fantasía es aún más poderosa, porque halla fuerza y alimento en los mil y un azares de la ancha, y dolorosa, y llena de milagro vida de los hombres, en la cual pasan cosas superiores, en pasión y aventura, a las que acontecían en tierras de Tristán, de Lancelot y de Amadís.

6. Proceso de los libros de Caballerías

Aquí están, ante el Tribunal de la Historia de la Literatura, los curiales y el reo. Este, los libros de caballerías. Acusando, en latín, Luis Vives, Melchor Cano y el maestro Benito Arias Montano. Diciendo en castellano las palabras de anatema Alfonso de Venegas, Francisco Cervantes de Salazar, Fray Pedro Malón de Chaide, Fray Antonio de Guevara, Alfonso de Fuente y tras los solemnes Procuradores de las Cortes de Valladolid, la sonrisa sagaz y los ojos agudos y tristes de don Miguel de Cervantes Saavedra, doctor en ambas caballerías, la del sueño y la de la vigilia.

Desde la lejana bruma de su olvido, atiende a la defensa el beato Ramón Lull, mientras es recusado por mala conducta el defensor Francisco Delicado, rufián y amaestrador de la lozana andaluza. Se recibe a decir los descargos solamente a Hernán del Pulgar, a Fray Luis de Granada y a Francisco Rodríguez Lobo. Los ojos ansiosos de la gente humilde de la Edad Media, que en aquellos libros encontraron consuelo para sus pobres almas, siguen con ansia las alternativas del proceso.

Luis Vives musita enardecidas frases latinas, las que consignó en su tratado "De Institutione Femine Cristiane". Melchor Cano repite la diatriba del tratado "De locis Theologicis": tan sólo, de la confusa algarabía clásica, se destaca la injuriada voz del maestro Arias Montano, que los llama "monstra vocamus et stupidi ingenii partus"... En claro castellano, el que primero acusa es Alfonso de Venegas:

—Son los sermonarios del diablo.

Fray Pedro Malón de Chaide dice con una voz que el odio insaciable tiñe de rojo vivo:

—Son el cuchillo en la mano del hombre furioso.

Fray Antonio de Guevara, con engolada voz catedralicia, pide que no se impriman más:

—Su doctrina incita a la sensualidad y al pecar, y relaja el espíritu a bien vivir.

Alfonso de Fuentes pregunta socarronamente:

—¿De qué tratan? De cómo uno se llevó la mujer de aquel y se enamoró de la hija delotro, y de cómo la recuestaba y escrebía...

Francisco Cervantes de Salazar, abogado ducho, hace la acusación de fondo:

—Guarda el padre a su hija, como dicen, tras siete paredes, para que quitada la ocasión de hablar con los hombres, sea más buena; y dexándola un Amadís en las manos, donde deprende mil maldades y desea peores cosas que quizá en toda la vida aunque tratara con los hombres pudiera aprender, ni desear; y váse tras el gusto de aquello, que no querría hacer otra cosa; ocupando el tiempo en que debía ser laboriosa y sierva de Dios, no se acuerda de rezar ni de otra virtud, deseando ser otra Oriana como allí, y verse servida de otro Amadís. Tras este deseo viene luego procurarlo... En lo mesmo corren lanzas parejas los mozos, los cuales con los avisos de tan malos libros, encendidos con el deseo natural, no tratan sino cómo deshonrarán la doncella y afrentarán la casada...

Ahora, terribles, avanzan los sombríos Procuradores de las Cortes de Valladolid. Llevan en la mano un memorial al Rey, en el que explican los tremendos males que a la sociedad causan los libros "ansí de amores como de armas y vanidades", y le piden "que ningún libro destos semejantes se imprima ni se lea so graves penas, y los que ahora hay los mande recoger y quemar". Para entregar el memorial a un Rey brumoso, el más feroz de los Procuradores esconde en la escarcela su Amadís, y para recibirlo, el Rey levanta su distraída faz del gran Amadís que leía. Y niega el pedimento. Mas, para no disgustar a tan graves varones, manda que no puedan "pasar a Indias libros de romances, de historias vanas y de profanidad, como son de Amadís e de otros de esta calidad, porque este es mal ejercicio para los indios, e cosa es que no es bien en que se ocupen ni lean''. Pero en la noche, a la hora de los mágicos acontecimientos, Amadís abandona el libro preferido del Rey y sale, seguido de los ojos de Oriana, de la voz protectora de Urganda la desconocida y de los fieles pasos de Gandalín, y se mete de polizón en un barco que zarpa para las nuevas tierras...

Y llega el momento en que se toma declaración a don Miguel de Cervantes. A él no le importan las doncellas que violan los siete candados, ni que los mozos alboroten y afrenten las casadas. A él le importa cosa de mayor importancia, y por ello acusa a los libros de caballerías de ser "en el estilo duros, en las hazañas increíbles, en los amores lascivos, en las cortesías mal mirados, largos en las batallas, necios en las razones, disparatados en los viajes..." Salva de su acusación a Amadís, pide clemencia para Tirante y Palmerín, y declara que el verdadero libro de caballerías se acerca ya, proveniente de su pluma. El juez, por primera vez durante el largo proceso, ha asentido. Y llama a la defensa.

Y llega Hernán del Pulgar y cuenta que gracias a esos libros floreció el valor y el empuje de los "claros varones de Castilla", y cita al conde don Gonzalo de Guzmán "e a Juan de Merlo", y afirma:

—Conoscí a Juan de Torres e a Juan de Polanco, a Alfarán de Vivero e a Mosén Diego de Valera, a Gutierre Quesada e a Mosén Pero Vásquez de Sayavedra, e oí de otros castellanos que con ánimo de caballeros fueron por los reinos estraños a facer armas con cualquier caballero que quisiese facerlas con ellos, e por ellas ganaron honra para sí e fama de valientes y esforzados caballeros para los fijodalgos de Castilla.

Viene luego el claro maestro Fray Luis de Granada, y mientras Fray Pedro Malón lo mira de reojo con el ojo encendido, dice con precisa y paciente voz:

—Querría preguntar a los que leen libros de caballerías fingidas y mentirosas, ¿qué les mueve a ésto? Responderme han que entre todas las obras humanas que se pueden ver con ojos corporales, las más admirables son el esfuerzo y la fortaleza. Porque como la muerte sea (según Aristóteles dice) la última de las cosas terribles y la cosa más aborrecida de todos los animales, ver a un hombre despreciador y vencedor deste temor tan natural causa grande admiración... De aquí nasce el concurso de gentes para ver justas y toros y desafíos y cosas semejantes... Y esta admiración es tan común a todos y tan grande, que viene a tener lugar, no sólo en las cosas verdaderas, sino también en las fabulosas y mentirosas, y de aquí nasce el gusto que muchos tienen de leer estos libros de caballerías fingidas...

Y Francisco Rodríguez Lobo, hidalgo portugués de buen sentido y mejor entendimiento, comparece y realiza la última, la definitiva defensa:

—En el libro fingido cuéntanse las cosas como era bien que fuesen y no como sucedieron, y así son más perfectas; descríbese al caballero como era bien que los hubiese, las damas cuán castas, los reyes cuán justos, los amores cuán verdaderos, los extremos cuán grandes, las leyes, las cortesías, el trato tan conformes a la razón. Y así no leeréis libro en el cual no se destruyan soberbios, favorezcan humildes, amparen flacos, sirvan doncellas, se cumplan las palabras, guarden juramentos y satisfagan buenas obras. Veréis que las damas andan por los caminos sin que haya quien las ofenda, seguras en su virtud propia y en la cortesía de los caballeros andantes. En cuanto al retrato y ejemplo de la vida, mejor se coge de lo que un buen entendimiento trazó y siguió con mucho tiempo de estudio, que en el suceso que a veces se alcanzó por mano de la ventura, sin que la inteligencia ni el ingenio pusieren nada de su caudal...

Y el Juez resume: Es verdad. Fue el alma misma de la Edad Media la que vivió en estos libros de caballerías fingidas y mentirosas. No hubo quien no los leyera, y los mozos y las doncellas se encandilaron en sus páginas maravillosas. Ellos dieron momentos de paz y de alegría a las gentes sencillas, y templaron el ánimo de los caballeros. Jamás género alguno en las literaturas de todos los tiempos tuvo éxito semejante. Y no murieron a manos de moralistas ni de críticos literarios. No los mató la sentencia en latín ni la sátira en castellano. Los derrotó el enanchamiento del mundo, las nuevas tierras halladas allende mares que nadie hasta entonces había navegado, el fin definitivo de la espesa niebla que cubría los confines del mundo, la luz que se expandió por las mentes en el racionalismo renacentista y la voluntad de libre examen: el nuevo mundo que nacía, tanto en la realidad geográfica como en el espíritu, la rotura de tantas cadenas, era mayor que la imaginación más portentosa, y los hombres cumplían en la vida real hazañas mayores y coronaban más espantables aventuras que las que tocaron cumplir y coronar a Tristán y Amadís.

Y alguien, entre los que al gran proceso concurren, duda del resumen que escucha y se pregunta: ¿han muerto en realidad estos libros? O, simplemente, andando con el tiempo, ¿ha cambiado su estilo? Porque, si, en esencia, es de caballerías todo libro que relata una hazaña cumplida por exclusivo afán de justicia, por sed de aventura o por desenfrenada pasión, y si esos libros siguen brotando de la pluma del hombre, y en todas las horas siguen trayendo a los habitantes de este valle de lágrimas el consuelo de su gesta de esfuerzo, fingida sí, pero tan digna de ser verdadera, ¿qué importa que los nuevos héroes, los nuevos caballeros andantes, los renacidos Amadises y Lancelots no vistan armadura de pavonado acero, ni lleven adarga al brazo, lanza en astillero y galgo corredor, y no se acompañen de "Durendas" y "Tizonas" y no caminen sobre fieles "Babiecas" o "Rocinantes" ni se hagan servir por Sanchos y Ribaldos? Lo probable es que, en verdad, jamás hayan muerto los libros de caballerías, así como jamás ha muerto el ansia del hombre por vivir en un mundo en el que la verdad y la justicia sean respetados y defendidos por hombres poderosos y desinteresados, entregados solamente a su culto y al del prodigioso y dulce, amargo y eterno amor humano...

7. Final

Si bien es verdad que, después del inmortal libro de Cervantes, ya no se siguieron escribiendo ni publicando novelas de caballerías, sigo creyendo que él no les dio fin y que su propósito no fue ése. Don Miguel trajo, como consta a todos, la caballería al mundo real, situándola en un país preciso, dando tierra sólida al paso y aire verdadero a los pulmones del Andante. Como nos lo hiciera notar Pedro Salinas, al abrir el curso cervantino de conferencias convocado por la Casa de la Cultura con motivo del IV Centenario, don Quijote es el primer caballero que sale por tierras de España y no se encuentra en ellas con los gigantes y jayanes que Amadís encontraba en las fabulosas tierras de Gaula o Sobradisa, sino con los yangüeses y los familiares de la Santa Hermandad, y no es ya víctima de los encantamientos de Merlín o Arcalaus, sino de las burlas del Duque, del sarcasmo implacable con el cual los poderosos gustan de herir y humillar a los hombres simples, a los de libre corazón generoso, a los poetas, a los caballeros, a los que se han entregado a una fe o a un ideal.

De todos modos, la caballería, al llegar don Quijote, había rendido a la humanidad todo su tributo. Le había dado, creados para la eternidad en su reino y aclimatados por su influjo en el mundo real, la amistad por compañerismo, el amor romántico, el ideal femenino, el culto a la verdad, el odio a la falsa apariencia, la apasionada devoción por la justicia, el puro goce de la propia fuerza, la voluntad por la aventura desinteresada, cinco o seis poemas grandiosos y tres admirables novelas inmortales, y había impedido que la tristeza y el desencanto se adueñaran de los hombres de Europa durante seis centurias. Como si esto fuera poco, en el momento en que finó, hizo entrega del Quijote, un libro para defendernos de la tristeza y el desánimo con vigencia eterna. Porque si el Amadís defendió a los hombres de su tiempo, el Quijote los viene defendiendo desde que Amadís se retiró hasta la hora presente, y los defenderá hasta cuando, en un día de sol débil y amargo, la humanidad dé fin a su miserable y excelsa permanencia en la tierra.

Y ahora, lector paciente, fiel amigo, dejemos volver a su sueño de glorioso olvido a los compañeros de don Quijote. Los hemos traído a una fugaz permanencia ante nuestros ojos escépticos de este siglo sin fe, haciendo un acto de estricta justicia, pues sin ellos la humanidad habría perecido de tristeza y desaliento mucho antes de esta edad. Restituyamos esas sombras gloriosas, habitantes del país de la maravilla, a sus tumbas de pergamino, donde las polillas les roen los filos generosos del alma. Y no· pensemos en ellos muy seguidamente, porque su sed de justicia podría encender la nuestra, lanzándonos, como a Alonso Quijano el Bueno, por los campos de Montiel de este siglo, donde nos esperan más desalmados yangüeses, más canallas esbirros de la Santa Hermandad y más descomedidos y burlones señores de la alta nobleza, que ahora, más que ser de la sangre, del dinero, brillante y terrible, sin corazón ni alma. Y también porque corremos el riesgo de que, durante nuestro sueño, si hemos fallado como Sir Ségramor en la aventura de la lanza, vengan a herirnos en una noche de lúcida y tremenda pesadilla, como hirieron a Franz Kafka, y amanezcamos, como él, con la misteriosa espada de Amadís incruentamente incrustada, médula adentro, en nuestra espina dorsal: la inmensa empuñadura en cruz sobresaliéndonos al filo de la nuca... Y porque podría ser que, si en ese instante misterioso y terrible faltara a nuestro lado aquel amigo único y verdadero que todos tenemos, nuestro Artús del Algarbe intransferible, ese que muchas veces no conseguimos identificar, engañados por la falsa apariencia, para que nos extraiga el terrible huésped de acero, ella, la gran espada vengadora, corte por siempre el hilo de nuestra vida, que es la única que tenemos, llenando de sangre el misterioso estuche, hasta entonces incruento, que en nuestro ser la encierra...

EXCURSION POR LA PICARESCA

intermedio de ninguna manera apto
para menores pero sí adecuado
para inocentes

DOS ESTAMPAS DEL MUNDO DEL ARCIPRESTE

1. La Trotaconventos

Aquel domingo, ardiendo en llameantes amores, don Melón de la Huerta, o mejor dicho, don Melón Ortiz (porque eso significa Ortiz: hombre de la huerta, hortelano, horticultor u hortera) miraba desde lejos el garbo con que doña Endrina cruzaba la plaza. Sus ojos se iban tras ella y las cuencas se le quedaban vacías. Su corazón cantaba los loores de la bienamada, con el fervor con que lo ha hecho siempre el enamorado a través de los siglos. ¡Ay Dios, y cuán hermosa ella venía! ¡Qué talle, qué donaire, qué alto cuello de garza! ¡Qué cabellos, que boquilla, qué color, qué bienandanza! Pero... la plaza no es lugar para hablar con Ella, con la única. No es lugar para comunicarle el urgente mensaje que de los labios se escapa, siguiendo a los ojos en su viaje encendido. Ningún sitio peor que la plaza para hablar de amores: todos miran al galán acercarse a la dama, todos sonríen, cazurros, socarrones: y a él se le muda la color y le entran miedos y temblores; y las palabras, las hermosas, las comedidas, las todoconvincentes palabras que durante las noches de la ilusión y del deseo afluían a la lengua, en ella se quedan prisioneras, y no salen a cumplir su oficio de encadenadoras de corazones. No: ningún amante debe hablar a su dama en la plaza.

Pero, si no le habla allí, ¿dónde? En el burgo no hay fiestas ni reuniones, y ella es moza recatada y honesta. Amistad entre la familia del enamorado y la de la biendeseada, no existe. No hay amigos comunes que tiendan entre ellos un puente para cruzar el abismo que los separa. ¿Qué hacer, sino desafiar todo riesgo hablándole en la plaza? Don Melón Ortiz, haciendo un esfuerzo supremo, cazador en la vecindad de la gacela, improvisa una inocente estratagema y hablando muy alto a la hermosa, se le acerca y le dice, de manera que todos le oigan, a fin de que nadie murmure:

—Señora, mi sobrina, la que vive en Toledo, me escribe que os dé mil saludos, y que os diga, muy comedidamente, que si tuvieses tiempo sobrado, ella, que tanto y tan bien ha oído hablar de vos, mucho se honraría en hacerse vuestra amiga y conoceros de cerca.

Doña Endrina se detiene y lo mira perpleja, y toda la gente de la plaza se detiene y los mira perpleja, y entonces él, bajando la voz y apresurando las palabras, que se le tiemblan, continúa con el habla atropellada del que está perseguido:

—Como todos nos miran, esto os he dicho en juego. Os amo y deseos de hablaros de mi amor me queman el alma. Tened piedad de mí y decidme dónde podría confiaros mi pena de amor sin que miradas maliciosas nos perturben.

Como doña Endrina es honesta y altiva, deja sin contestar las palabras del enamorado doncel, y con su bienandanza, su cabello, su boquilla, su alto cuello de garza, su color de manzana en sazón, su gracia y donosura, se marcha hacia el templo, mientras burlonas miradas y peores sonrisas aparecen en quienes contemplan tal abordaje (y tal derrota).

La noche se hizo, en pleno mediodía, para quien tanto amaba.

— — —

Fue entonces cuando don Melón Ortiz salió en busca de la Trotaconventos. Supo, acuciado por su necesidad, cuánto valía tan servicial dueña. Entendió cómo, si ella faltaba, los enamorados estaban desvalidos e incomunicados, cada día más lejos el uno del otro, divididos por las distancias creadas por los hombres, que ponen, entre el enamorado y el objeto de sus ansias, trechos mayores que los que el tiempo y el espacio asientan sobre la tierra. La Trotaconventos suprime esas distancias, invencibles sin ella, acercando los corazones, derrotando los recelos, calmando las angustias, facilitando las escapadas y tramando las citas, y por todos estos invalorables servicios cobrando apenas modestos dineros, cuantiosos al parecer, pero mínimos si se miden por la importancia de los negocios atendidos. Tal era el oficio de doña Trotaconventos, y gracias a que lo practicaba sagazmente los amantes podían reunirse y dar rienda suelta a sus corazones, ansiosos de galopar juntos en dirección contraria a la soledad y a la tristeza. "Busqué a la Trotaconventos, conforme el amor me lo ordenó", dijo, más tarde, don Melón Ortiz, y la verdad es que nunca estuvo arrepentido de haberla buscado. Todo su negocio estuvo en vías de feliz solución cuando encontró a este "sabio corredor" del más hermoso de todos los negocios: el del amor, del cual espero que vosotros, amigos, hayáis sido favorecidos clientes algún día.

¿Cómo era la Trotaconventos, flor de terceras y de tercerías? Si habéis sido enamorados, como lo espero, o si lo sois actualmente, como os lo envidio, lo sabréis muy bien, puesto que habréis ocupado u ocupáis actualmente sus servicios. Es, desde luego, una buhonera: está disfrazada de vendedora ambulante de pequeños embelecos gratos a las muchachas: peines, perfumes, pañuelos, sartas de cuentas, collares, dijes, zarcillos, holanes, mantillas, medias, céfiros y cintas. Va con su buhonería de casa en casa, entra en las que moran las hermosas y, mientras las deja hurgar en su pacotilla, vierte en sus oídos el mensaje del galán, desarma sus resistencias, tumba las desconfianzas, lima los celos, aviva los sentimientos, planea las escapadas, concierta las citas, elogia al galán y entrega su carta y reclama y exige la respuesta: anuda, en fin, el hermoso nudo del amor. ¡Oh trabajo para fino y para amable! Y, luego, va donde el galán a cobrar, porque, desde luego, en este negocio el único que paga es el galán. La dama solamente otorga su sonrisa, su "sí" y su blanca mano. Así, por honorario en efectivo (la Trotaconventos nunca fía), esta sabia dueña es el interesado ángel del amor, el correo de Cupido pagado al contado, la venal enhebradora de los corazones.

Cuando don Melón Ortiz vierte en los oídos de la providencial bruja sus cuitas de amor, ella le afirma que, si no es por su mano (como si la tuviese reservada) nadie logrará a doña Endrina: solamente ella sabe cómo convencerla. Otro galán quiere hacerla suya, pero es harto renuente a pagar, y ella no está dispuesta a servirlo. Si don Melón es generoso como se le ve galán, le conseguirá la hermosa dama y se la pondrá en las manos, donde él lo quisiere, y para lo que él lo quisiere, que para tanto es ella y mayores triunfos ha conseguido, como puede cerciorarse en el vecindario, que bien la conoce. Don Melón comprende, gozoso, que ha encontrado su caballo de madera, que está ya seguro de entrar a su Troya inexpugnable, y siente que está para él abierto el cielo y abre, a su vez, la mano y comienza a pagar a la tercera, pero le advierte que sus manos, esas mismas que dan las monedas, son muy fuertes, tanto como es impaciente su ánimo, y que si no trabaja y le roba, bien pudiera acontecer que fuese aquella su última trapacería, pues él está dispuesto a retorcerle el cuello como si fuese una gallina. La amable bruja hace las protestas de rigor: el caballero puede estar tranquilo, que cuando bien le pagan, ella hace milagros. Que el caballero calme sus ansias: ella le traerá cada vez mejores noticias y, al final, le traerá, por sus propios pies, su ansiada paloma. Don Melón se convence. Y hace bien.

— — —

Hace bien, vosotros lo sabéis, porque el día siguiente al del glorioso apóstol Santiago, la hermosa y esquiva dama fue, por sus propios pies, a la tienda de la Trotaconventos, donde su galán la esperaba. La industriosa dueña escogió sabiamente la hora del mediodía, "cuando yanta la gente". Cuando la calle está desierta y los ojos indiscretos están embobados frente a los cazos de caldo gordo y a las fuentes de guisote de cordero. Vosotros recordáis, además, buenos lectores del verso auroral del Arcipreste, con qué exclamación de alegría la recibió el ansioso galán:

—¡Señora doña Endrina, vos la mi enamorada!

Y, por último, y esto dicho entre nosotros y en absoluto secreto, don Melón con su dama "acabó lo que quiso". Todo ello gracias a la sabia tercera, que vivía de acercar corazones. Y como el amor de don Melón era de los duraderos, sin duda sabréis de memoria aquellos versos que, con jocunda alegría, dan final a su historia:

Doña Endrina y don Melón en uno casados son
Alégranse las campanas en las bodas con razón.

— — —

Por ello, es justo que nos asombremos de que tan maltratada sea quien tan benéfico oficio ejerce, quien llena este cometido indispensable, quien logra combatir la soledad, unir a los que se aman, poner miel en el acibarado vivir de hombres y mujeres y, por último, aumentar patrióticamente la población del país, todo ello por precios relativamente módicos, cobrados al contado. La Trotaconventos es, por lo menos socialmente tan útil como el médico; mas, sin duda, que el abogado, más que el economista y, desde luego, mucho más que el notario. ¿Por qué no concederle igual crédito e igual estima, y permitirle que abra despacho público frente a la notaría y a la casa de cambio? ¿Por qué no autorizarla a inscribirse como socia en la Cámara de Comercio? ¿Por qué no permitirle insertar en el diario su amable y utilísimo aviso: "DOÑA URRAGA TROTACONVENTOS, tercera en amores. Horas de atención al público: de 2 a 4 p.m."?

Yo os pregunto: ¿qué sería de la patria sin ella? ¿Podría desenvolverse la sociedad civilizada sin el abogado, sin el notario, sin el médico? ¿Cómo pensáis que se pueda desenvolver sin la tercera, la que tiende puentes entre los divididos y permite al amor pasar de las miradas a las obras?

Y, ¡sin embargo!, ¡cuán mal se la ha tratado y se la trata! No quiero referirme a la crueldad con que se procedió con la Madre Celestina, espejo de terceras, ni la indiferencia que rodeó a la buena rodrigona Brígida, excelente tercera también, que consolaba a Julieta y consolaba a Romeo. Solamente quiero señalaros cuán inconsecuente es el Arcipreste, el alegre cronista de los amores de don Melón, cuando abomina de la Trotaconventos que tan eficazmente le sirviera, y amontona sobre ella el peso excesivo de los epítetos de su "declaración de los nombres del alcahueta", en la que se goza llamándola maza, picaza, señuelo, cobertera, almadana, coraza, aldaba, trainel, cabestro, almohaza, garabato, tía, cordel, cobertor, escofina, avancuerda, rascador, pala, aguzadera, freno, corredor, badil, tenazas, anzuelo, pescador, campana, taravilla, alcahueta de porra, jáquima, adalid, guía, andorra, trotera, aguijón, escalera, abejón, losa, traílla, trejón, registro y raposa. Injusticia, llena de amarga ingratitud, la que hay en tamaña invectiva. La verdad, amigos, es que cuando a la Trotaconventos os refiráis, solamente debéis llamarla como ella os lo pide, ya que nunca podréis estar seguros de no precisar de sus servicios, ya que el amor visita al hombre en cualquier edad, a cualquier hora, y de él y de su fiebre nadie se halla a salvo, ni contra él y sus riesgos hay compañías que nos aseguren. Recordad bien sus palabras, que el mismo ingrato Arcipreste nos ha conservado:

No me digas nombre malo ni que sea de fealdad,
Llámame "buen amor", y os serviré con lealtad,
Que la buena palabra paga bien la vecindad
Y el buen decir no cuesta más que la necedad.

Llamadla así, y habréis hecho justicia a sus servicios, sin los cuales la humanidad no puede crecer ni multiplicarse.

2. Las mujeres pequeñas

Estaba ya madurando la mañana en un fresco y soleado mediodía cuando, visiblemente fatigado, llegó el Arcipreste a la Venta del Puerto de Malagosto, en la Sierra de Guadarrama. Venía a pie, con el zurrón al hombro y una vara de fresno por cayado. El día anterior había salido de viaje para Sotos Albos, más una tormenta de nieve salpicada de granizo, que lo sorprendió pasado ya con mucho el Puerto de Lozoya, sin una cárcova siquiera donde guarecerse, habíalo desviado.

Más adelante, ya con la tarde encima, pudo arribar a la choza de una serrana que, para atenderlo, sacó la cabeza por un ventanuco lleno de hollín, y tras muchas razones toscas y avariciosas, accedió a darle su posada con vinillo ralo y agrio y algo de pan y queso. Y mientras, a su manera, descansaba, habíanle robado su mula y al otro día, trepando la cuesta empinada hacia Malagosto, traía el rostro congestionado por el esfuerzo, su rostro de hombre fuerte, asentado sobre el cuello "pescozudo" como el de un toro, algo dobladas sus espaldas de jayán campesino, venteando golosamente el puro y frío aire con su larga y sensual nariz de gozador de la vida, con ese su pesado e "infiesto" andar de caminante de los largos caminos solitarios, que el cansancio hacía aún más pesado y trotón. Su potente humanidad, algo derrengada por la caminata, venía reclamando un plato de algo más vaca que carnero, con su palomino por añadidura y, claro este, un cálido vaso de bon vino... Dentro de él alguien repetía: "Quién busca lo que no ha perdido, bien está que pierda lo que tiene...".

En la venta de Malagosto, ya cercana la hora en que madura la mañana se torna en mediodía, buena compaña de arrieros, peregrinos y estudiantes bebía vino hervido en grandes jarros de hojalata, servidos por aquella "chata novia" de la maja faz que vio el Arcipreste cuando, clamando contra la "serrana endiablada", venía de Somosierra... Cuando asomó con su rostro velloso y su nariz luenga por la ancha puerta, moviéndose con su andar "infiesto", embarazado por el zurrón al hombro y el cayado de fresno, la alegre compaña lo recibió con grandes gritos mientras él saludaba "en nom de Dios Santo" y les pedía permiso para "a su vera descansar un rato y ver de yantar", lo cual todos aceptaron con singular bullicio y jolgorio, mientras las manos, multiplicadas por la cordialidad y la simpatía, le acercaban pan negro, queso de cabra, tocino salado y un gran jarro de buen vino, caliente y oloroso.

Sentado ya entre ellos, la cabecera de la mesa se trasladó sumisa a donde él estaba, y tácitamente todos le entregaron las llaves de la fabla y de la alegría. Y él, pasado ya al olvido el mal talante de la aviesa mañana, olvidado de la serrana de Lozoya y de la mula perdida, se entregó a la delicia del beber y el charlar, mientras ellos a gritos le pedían consejo sobre cuál era la mejor mujer para amar, si la de gran tamaño o la chica y menuda, ya que solamente él, que tanto había dialogado con don Amor y don Carnal y de tan antiguo había empleado los servicios de la Trotaconventos, y era tan experimentado catador de serranas, podía aconsejarlos con el provecho que da la experiencia. Y el señor Arcipreste, feliz de estar en su elemento, que es el buen amor, como el pez está feliz en el agua, retrepándose en el amplio sillón forrado de cuero cordobán, tendiendo hacia atrás la enorme cabeza rojiza, con el jarro humeante lleno de oloroso vino hervido al borde de la mano bermeja y poderosa, llena de vellón, les dio esta clase sobre la ciencia del arte de amar, que de puro humana es la más divina de todas, con su voz ronca de hombre que sabe cuán hermosa es la vida y cuán bello es gozarla:

—No deseo agobiaros con luengos discursos, que siempre me pagué de pequeño sermón y de dueña pequeña y de breve razón, que en lo poco y bien dicho se afinca el corazón...

Los jarros de vino se alzaban entrechocándose y el licor oloroso descendía por los gaznates llevando cálida alegría a los corazones y limpiando las almas de amargura. Los ojos resplandecían. Claras sonrisas distendían labios gozadores. Y todos, con la dicha en el rostro, escuchaban al maestro del buen vivir y el buen amor, que les decía:

—El Apóstol nos manda probar todas las cosas, y desde edad temprana cumplí con su mandato... y probé con las dueñas de todos los tamaños... y un día Don Amor se apiadó de mi yerro, y vino donde mí con un amable ruego, y con su voz melada me dijo estas razones de ciencia y de mesura: "No digas mal de amor ni en seriedad ni en juego. Por poco mal decir se pierde un gran amor. Si quieres bien amar, primero hay que la ciencia del amor aprender. Para que ella te quiera con gran amor querer, ¡sabe primeramente la mujer escoger!"

—¡Enséñanos esa ciencia, buen Arcipreste!, clamaron las voces de los mozos.

—Don Amor me enseñó: "Busca mujer hermosa, muy donosa y lozana, que sea de buen talle y graciosa y pequeña, de cabello amarillo y cejas apartadas, algo ancha de caderas. Cuida de que sus ojos sean grandes y pintados, hondos y relucientes, y de luengas pestañas muy claras y rientes. Las orejas pequeñas, delgadas, bienhacientes... La nariz afilada, los dientes menudillos, iguales y bien blancos, un poco apretadillos. Las encías bermejas y los labios muy rojos, mejor algo delgados, y con la faz muy blanca, sin pelos, clara y lisa...".

La graciosa figura iba tomando cuerpo casi palpable en el cálido aire de la venta.

—Del que mucho habla todos se ríen con razón. Quién mucho ríe es loco... Yo os estoy diciendo la palabra precisa... En la mujer pequeña el amor nunca es poco. Si el buen amor os da una dueña pequeña, jamás debéis cambiarla. Don Amor me rogó que de las dueñas chicas haga siempre el elogio, que diga sus noblezas. Y todo lo que digo no lo toméis por juego, que es serio y bien trovado y brota de un saber que cumplió lo mandado y de todas probó...

Y antes de emprender el metódico elogio de los dones que Don Amor dio a las mujeres chicas, el buen don Juan Ruiz eleva su jarro y una vaharada de hirviente vino le da en el rostro amable, que es del mismo color de la buena bebida. Su voz sigue:

—Las mujeres pequeñas parecen ser de nieve y arden como el fuego. Sólo son frías por fuera, en su interior son ellas como el amor ardientes. En la calle: solaz de los ojos, placenteras, rientes. En la casa, ¡cuán cuerdas y donosas, sosegadas y bienfacientes!... En la pequeña brasa duerme gran resplandor. En un grano de azúcar reposa gran dulzor. En la dueña pequeña se encierra gran amor. ¡Pocas palabras cumplen al buen entendedor! Es muy pequeño el grano de la buena pimienta, pero más que la nuez nos conforta y alienta. Así la hembra pequeña, si todo amor consiente, ¡no hay placer del mundo que en ella no se sienta! Como en la rosa chica existe gran color, y en el oro muy poco hay gran precio y valor, como en el poco bálsamo yace muy gran olor, así en la dueña chica se goza el buen amor. Como el rubí pequeño tiene mucha bondad, color, virtud y precio, nobleza y claridad, así la hembra pequeña tiene mucha beldad, fermosura y donaire, buen amor y lealtad. ¡Cuán chica es la calandria! ¡Cuán chico el ruiseñor! ¡Y cuán más dulce cantan que toda ave mayor! La mujer que es más chica, es por ello mejor: su sabor es más dulce, es azúcar y es flor. Adornada, fermosa, preciada y cantadora: tal es la hembra pequeña cuando el amor la dora. Para la dueña chica no hay comparación, paraíso en la tierra, solaz y bendición. ¡Mejor es en la prueba que en la salutación!

Un coro de risas jocundas se alza en torno de la última frase del Arcipreste. Cuando vuelve el silencio, un escolar arguye:

—Permitid, Arcipreste; Aristóteles dijo que no hay para el hombre un mal que sea mayor que la mujer...

—Permitidme, garzón. Para el hombre prudente no es desaguisado del mal salir en fuga... "Del mal, tomar lo menos": díselo el Sabidor. Y si es la mujer, ¡oh Dios!, el mal mayor... ¡de todas las mujeres, mejor es la menor!

Y cuando, concluido el yantar y vaciados los jarros, el Arcipreste retoma el camino, directo a Sotos Albos, en el corazón de aquellos garzones locos y mozos bien valientes, alumbrados por sus palabras y por el vino, habita ya, soberana absoluta, placentera y riente, una dueña pequeña...

LAS ARTES DE LA MADRE CELESTINA

Ensayo sobre un personaje de la Tragicomedia de Calisto y Melibea

Españolas al fin, algún punto de contacto había de haber entre seres tan diferentes como la Lozana Andaluza y la Madre Celestina, puta vieja emérita, y ese contacto era el de que ambas querían vivir no sólo de su arte principal sino de una poblada rebotica de artes secundarias que, por sí solas, podían responder de la olla, la canasta y el techo. Como ustedes lo saben, la Lozana vivía *principalmente* de su hermosura, que para algo Dios se la dio, dejándosela a su libre disposición y albedrío, como compensación de haberle quitado su marido cuando aun ella estaba en verde juventud. Pero sólo *principalmente* vivía de tan lozano don, ya que cocinaba maravillosamente y hacía pasteles y confituras dignos de príncipes y cardenales, fabricaba afeites, restauraba inocencias en vísperas de boda, curaba el mal francés y el mal de piedra y aun el mal orina, el flujo y las flores blancas, estiraba arrugas y enaceitaba rodillas, cosía como un ángel, zurcía invisible, peinaba a maravillas, aderezaba difuntos, tejía guirnaldas, confeccionaba ramilletes, vestía novias y chicas de primera comunión... Es verdad, aquí entre nosotros, que bien pudo la Madre Celestina, cuando joven, ser igualmente lozana y que la Lozana, de vieja, en la isla a donde se retiró con su paje para todo servicio, no fuese igual a la que tuvo, por orden del destino, que zurcir las vidas de Calisto y Melibea en la vecindad de la muerte. Espejo fueron de amantes tan bellos como desdichados.

63

En cuanto a su técnica de concertar voluntades, relacionar amantes, burlar maridos y dueñas cancerberas, es decir en el noble e inmortal oficio de alcahueta, no hay novedad: son las mismas de la Trotaconventos y de la nodriza de Julieta. Y como ésta llevó tan suavemente a Julieta a brazos de Romeo, así llevó a Melibea a brazos de Calisto y ambas dulcísimas parejas a los brazos perpetuos de la muerte.

Cuando la historia comienza, la alcahueta tiene ya seis docenas de años a cuestas, brava edad, ciertamente y había sido dos veces emplumada. Por lo tanto, su fama era sólida. Tan pronto como Calisto se confesó con Sempronio "melibeo" que a Melibea adoraba y en Melibea creía y sólo a ella rezaba, ya el fígaro salamanqués estábasela citando como el correo de amores más adecuado, y aun como la superalcahueta capaz de convencer a la desdeñosa y convertir en loca enamorada a la frívola distraída. "Yo conozco una vieja barbuda que se dice Celestina, hechicera, astuta, sagaz en cuantas maldades hay: entiendo que pasan de cinco mil los virgos que se han hecho y deshecho por su autoridad en esta ciudad": palabra de Sempronio, así era de grande su prestigio: "A las duras peñas promoverá y provocará lujuria si se quiere". Tal prestigio le confería igual importancia que al Arzobispo, al Protomédico y al Maese de Campo. Para que Calisto conquistara su preciosa palma bastaría que supiera decirle su pena: en un instante ella le encontraría remedio. Siempre, desde luego, que tuviese su bolso bien abierto.

El aspecto de la "madre" que los amantes esperaban con el ansia del marinero que en la noche oscura espera ver brillar la luz del faro, bien pobre y sospechoso era. Quien por primera vez la contemplaba, muy desanimado se quedaba. Ya lo dijo Pármeno, cuando Calisto lo envió a ver quién llamaba a la puerta. La respuesta es clara, inocente y suficiente: "Señor, Sempronio y una puta vieja alcoholada son". Una puta vieja alcoholada: los años no le quitaron su aspecto de puta, así como la secularización no borra el aspecto de cura ni el retiro el de soldado, y como tal puta seguía alcoholándose, lo cual no quiere decir que hubiese dado en la ebriedad, sino que iba pintada con afeites o cosméticos, a los que entonces se nombraba con el término genérico de alcohol, voz de origen árabe, significante de aquello que, honradas o no, es indispensable para las mujeres: el *hazme bella,* la crema, el rimel, el lápiz de labios, el colorete, su defensa contra el tiempo a través de los siglos.

Tenía la madre ya seis docenas de años encima y las llevaba por las calles yendo más inclinada que la torre de Pisa y casi naufragados en el mar de arrugas. Sus industrias y su oficio principal eran productivos, pero su práctica, como ya se dijo, le habían valido graves injurias y castigos tan infamantes como injustos. A Sempronio (que en su vil espada de criado y matasiete llevaba su destino) le dijo que así como todos van con su pleito al Juez, así van con sus amores a la Celestina y defendió ante ese mozo salaz y voraz su honrado, múltiple y productivo negocio, mostrándose tan elocuente como la Lozana y la Trotaconventos, que la elocuencia es don común al diputado, al mercachifle y la alcahueta. Le refirió que, al parque hilados, ella vendía virgos y que al embajador francés cuatro veces le vendió el mismo virgo, con ayuda del uso de una luz discreta. Cuando en Salamanca nace una muchacha, ella la inscribe en su registro y cuando ese virgo madura, ella sale a correrlo y siempre lo coloca a buen precio. Salva así del hambre a las familias, de la soledad a las muchachas y hay veces en que las coloca con viejos maduros para dejar herencia, tras la cual revolotean, golosos, los muchachos.

Nació pobre y por lo mismo, ha de trabajar para vivir, ya que no es hija ni viuda de caballero. "¿Qué pensabas, Sempronio? ¿Habíame de mantener del viento? ¿Conócesme otra hacienda a más deste oficio? ¿Heredé otra herencia? ¿Tengo otra casa o viña? ¿De qué como y bebo? ¿De qué visto y calzo? Nacida en esta ciudad, criada en ella manteniendo honra, como todo el mundo sabe, ¿conocida, pues, no soy? A quien no supiere mi nombre y donde está mi casa, ténle por extranjero".

Conoce a los amantes como nadie, para ella los enamorados no tienen secretos ni misterios. Sabe que es cosa propia de ellos la impaciencia y que toda tardanza les da tormento. Quieren que sus pensamientos se hagan realidad apenas los tienen, sin atender al tiempo, a la distancia y a las gentes, que son el mayor obstáculo para el amor. "Antes las querrían ver concluidas que empezadas", dice y los más impacientes y difíciles son los amantes novicios, que no quieren comprender que, para lograr su amor es preciso larga negociación con las propias amadas y con parientes, sirvientes y vecinos.

No saben que "no hay cirujano que a la primera cura sane la herida" y que es imposible resolverlo todo de miércoles a jueves: hay que hacerlo durar razonablemente para que pueda sudar dineros suficientes para el beneficio del alcahueta y sus ayudantes. Un siglo anticipada, la Celestina se pone de acuerdo con Góngora y Quevedo: poderoso caballero es don dinero, tenga yo dinero y ríase la gente. Ella dice: "Todo lo puede el dinero, las peñas quebranta, los ríos pasa en seco". Y aún más: "No hay lugar tan alto que un asno cargado de oro no le suba". ¡Cuanta sabiduría! En ello se encuentra, a su vez, acorde con Petrarca y, con anticipación de cuatro siglos, con Julio Jurenito, cuando en tierras yanquis dice a cada *mister* que encuentra: "How do you do? ¿Cuál es su precio?"

Celestina parte segura a la conquista de Melibea: esa es su ciencia, tal es su arte. Todas están bravas el primer día y son cosquillosicas, pero el alcahueta les baja el cacareo. Después, consienten de buen grado la silla sobre el lomo y nunca quieren ser desensilladas: muertas sí, cansadas no. Y adelantándose a Shakespeare, preludia el soliloquio de Julieta: "Si de noche caminan, nunca quisieran que amaneciese: maldicen los gallos porque anuncian el día y el reloj porque da tan apriesa. Requieren las cabrillas y el norte, haciéndose estrelleras y cuando ven salir el lucero del alba, quiéreseles salir el alma: su claridad les escurece el corazón". Ningún poeta describió mejor lo que acontece en el alma de los enamorados, ingenuo, dulce y atormentado laberinto cuyos recovecos conoce como nadie la madre Celestina. Es el camino que nunca se hartó de andar y en el cual jamás se la vio cansada.

Para saber cuanto y cuán verdadero era su conocimiento, hemos de repasar, saboreando y pesando su texto, las frases finales de su asombroso diálogo con Sempronio, demonio escéptico y corrupto: "Y aún así, vieja como soy, Dios sabe mi buen deseo. ¡Cuánto más estas mozas que hierven sin fuego! Cautívanse del primer abrazo, ruegan a quién rogó, penan por el penado, hácense siervas de quién fueron señoras, dejan el mando y son mandadas, rompen paredes, abren ventanas, fingen enfermedades, a los chirriadores quicios de las puertas hacen con aceites usar su oficio sin ruido. No te sabré decir lo mucho que obra en ellas aquel dulzor que les queda de los primeros besos de quien aman. Son enemigas de medio, con tino están posadas en los extremos. La mujer, o ama mucho aquel de quien es requerida, o le tiene gran odio. Así que, si al querer despiden, no pueden tener las riendas al desamor''.

Por lo demás, como su pasaporte para entrar en las bien guardadas casas de Salamanca, ella usa su calidad de buhonera especializada en finas fruslerías femeninas. Lleva a vender un poco de hilado (lana para tejer con agujas), así como gorgueras, garvines (cofias hechas de redecillas de seda o lana), franjas (adornos postizos para las sayas), rodeos (ruedos de seda o lana trenzados, para la cabeza) tenazuelas (las mismas de siempre, para rizar los cabellos), alcohol (ya se dijo; afeites para el rostro), albayalde (base blanca para el tocado facial) y solimán (el afeite con colorete que va sobre el albayalde) y, además, agujas y alfileres. Su pacotilla va completa: por donde le pidan, responderá. Tendrá collares, vinchas, prendedores, aretes, manillas, aros. Mientras los dragones guardianes hurgan y contemplan, la hermosa escoge y prefiere y la Celestina halla el momento para entregarle cartas y regalos y recibirle respuestas y prendas de amor para el galán. Es el momento de encontrar aliados comprables entre las dueñas rodrigonas, los dragones que la vigilan: ante unas franjas o unos alcoholes gratis, la más feroz contemporiza, facilita mensajes, se vuelve correo confiable y aun es quien hace posible la furtiva entrada del galán, del cual recibe una bolsa completa y la bella se hace la que no ha encontrado la peineta que buscaba, el encaje que precisa y la Celestina dice que pronto lo recibirá de Sevilla, que la próxima semana se lo trae y es invitada a regresar. Y aun le ofrecen sustanciosa colación. Dada la forma en que la casa de Salamanca es guardada, claro queda que ningún Fígaro puede entrar en ella: el barbero de Sevilla se queda en la calle, la Celestina penetra al tercer patio de la casa, su charla suena en la cocina.

Pero la madre Celestina, alcahueta suprema, maestra en las artes del amor, no irá del todo desarmada: llevará consigo el filtro mágico. Pero no un líquido que deba absorber la bella: eso sería una torpeza, así no se trabaja. Ella va a fabricar el filtro y en él sumergirá el hilado y cuando Melibea lo toque, la dulce epidemia del amor se le entrará por los poros: nunca sabrá realmente lo que le pasó. Por eso es que ella va tan segura. Y da las órdenes a Elicia: "Sube presto al sobrado alto de la solana y baja el bote del aceite serpentino, que hallarás colgado del pedazo de la soga que traje del campo la otra noche cuando llovía y hacía escuro. Y abre el arca de los lizos y hacia la mano derecha hallarás un papel escrito con sangre de murciélago, debajo de aquel ala de dragón al que sacamos ayer las uñas. Mira, no derrames el agua de mayo que me trajeron a confeccionar... Entra en la cámara de los ungüentos, y en la pelleja del gato negro, donde te mandé meter los ojos de loba, hallarás la sangre del cabrón y unas poquitas de las barbas que tú le cortaste". Estos son los ingredientes del filtro en que se untará el hilado, el que hará a Melibea sierva de los deseos de Calisto. Don Agustín Millares Carlo, gran celestinólogo, nos los aclara en forma suficiente: "Esta es la enumeración de los objetos e ingredientes para el conjuro que la vieja tercera se prepara a hacer: el "aceite serpentino", confeccionado con ponzoña de víboras; la "soga del ahorcado", la "sangre del murciélago", el "agua de mayo" que hacía crecer el pelo, los "ojos de loba", la "sangre del cabrón", animal que entre los antiguos simboliza la lujuria y cuya forma tomaba el diablo en la Edad Media para hacerse amar de brujas y encantadoras. "Nótese que para que la sangre del cabrón y los ojos de loba conserven su virtud, deben estar guardados en la "pelleja del gato negro". Con todo este arsenal y con la invocación a Plutón a la que asistiremos en seguida, la madre Celestina tiene ya todo lo necesario para ir a una larga conversación con los inquisidores. Pero toda profesión tiene sus riesgos y hay que afrontarlos para servirla bien.

Antes de salir a la conquista de Melibea, la madre Celestina, alcahueta suprema, maestra de las artes del amor o, mejor dicho, de su conquista, se provee de un filtro mágico y en el sumerge el hilado que va a ofrecer a Melibea: al tocarlo, la hermosa quedará presa del amor y Calisto será su amo. Así, la tercera asegura su éxito más allá de lo que su pacotilla y su elocuencia prometen. No llama a Satanás en su conjuro, ni menos al Cojuelo. Ella es amante del clasicismo latino, pues vive en Salamanca y así, invoca a

Plutón, el señor de la profundidad infernal, al que Virgilio visitó en su día y en el suyo el Alighieri y con el cual discutió Pitágoras antes de dar figura definitiva a su enseñanza sobre la música de las esferas. El conjuro es tan bello y sabroso que vale la pena repetirlo, inclusive por si entre ustedes, lectores interesados en todos los aspectos del arte de suscitar amor, haya quien desee poner su alma en riesgo (lo cual es muy atractivo, tanto como peligroso) y probarlo. Gócenlo ustedes:

"Conjúrote, triste Plutón, señor de la profundidad infernal, emperador de la corte dañada, capitán soberbio de los condenados ángeles, señor de los sulfúreos fuegos que los hirvientes étnicos montes manan, gobernador y veedor de los tormentos y atormentadores de las pecadoras ánimas. Regidor de las tres furias, Tesífone, Megera y Aleto; administrador de todas las cosas negras del reino de Estigia y Dite, con todas sus lagunas y sombras infernales y litigioso caos; mantenedor de las volantes arpías, con toda la compañía de las espantables y pavorosas hidras: yo, Celestina, tu más conocida cliéntula, te conjuro por la virtud y fuerza de esas bermejas letras; por la sangre de aquella noturna ave con que están escriptas; por la gravedad de aquestos nombres y signos que en este papel se contienen; por la áspera ponzoña de las víboras de que este aceite fue hecho, con el cual unto este hilado, vengas sin tardanza a obedescer mi voluntad, hasta que Melibea con aparejada oportunidad que haya, lo compre y con ello de tal manera quede tan enredada que, cuanto más lo mirare, tanto más su corazón se ablande a conceder mi petición y se le abra y lastime de crudo y fuerte amor de Calisto, tanto que, despedida toda honestidad, se descubra a mí y me galardone mis pasos y mensajes. Y esto hecho, pide y demanda de mí a tu voluntad. Si no lo haces con presto movimiento, ternásme por capital enemiga; heriré con luz tus cárceles tristes y escuras; acusaré cruelmente tus continas mentiras; apremiaré con mis ásperas palabras tu horrible nombre. Y otra vez y otra vez te conjuro. Y así, confiando en mi mucho poder, me parto para allá con mi hilado, donde creo te llevo ya envuelto".

He aquí un detalle, realmente pintoresco, que no debe pasar desapercibido: la Celestina amenaza a Plutón, en el caso en que no acuda a su llamado. ¿Con qué lo amenaza? Con volverse su enemiga y desacreditarlo: dirá que es falso, que no existe, expondrá sus "continuas mentiras". Es decir, lo amenaza con la propaganda, con levantar contra él la opinión pública. Lo pintoresco es que, en un tiempo sin periódico ni periodistas, lo amenaza con represalias de periodista, y sabe que es amenaza gravísima, y que el diablo la escuchará y la tendrá en su verdadero valor, temerá afrontarla por ser un verdadero peligro. Periodista como soy, me complace que antes de nacer, ya el periodismo, el levantar la opinión pública, el denunciar la mentira, haya sido ya amenaza suficiente... ¡nada menos que para meterle miedo al diablo!

Se puede ver claramente cómo el proceso sincrético que lleva a fundir en uno a Plutón con Lucifer es muy superficial: en realidad, el ser infernal evocado por la vieja es principalmente Lucifer, el Lucifer católico de la Edad Media y del Plutón pagano tiene casi nada, así se evoquen "los étnicos montes", que no son sino el volcán Etna, de Sicilia, considerado entonces como uno de los respiraderos del infierno y su puerta en tiempo de receso de fumarolas y se mencione por su nombre a las tres furias y al reino de la Estigia, o sea la laguna o río al cual da la puerta del infierno y por donde Caronte hace el servicio de su barca o se llame, como deidad secundaria, a Dite, que en realidad no es sino uno de los nombres latinos del Plutón griego. Todo esto no logra convertir a ese ser infernal en el cornudo herrero, marido desdichado de la divina Venus. La brujería realizada en presencia de Sempronio, tiene en realidad un marcado sabor de propaganda. Es difícil, por habitante que sea de un tiempo de extendida creencia en la magia, que la Celestina, ser escéptico por naturaleza, crea en la virtud del conjuro y del filtro. Ella lo que quiere es que Sempronio relate la escena a Calisto, para darle confianza y extraerle más dinero. En realidad, para la gente de aquel tiempo, el amor era cosa nueva y cosa del diablo. Las parejas se concertaban por los padres y no era necesario que los futuros cónyuges se conociesen. Los amores, que sacaban a los jóvenes del campo cerrado de la dictadura familiar, cosa del diablo eran y las celestinas que los facilitaban, agentes del demonio eran. Las muchachas, prisioneras celosamente guardadas, estaban prestas a escuchar a la tercera y a abrazar al amante que ella les traía: no era menester más filtro ni conjuro, el ansia de libertad se transformaba fácilmente en amor:

se sometían al amante con esclavitud voluntaria para evadir la esclavitud ajena a su voluntad que las tenía sujetas a padres o tutores. Su libertad consistía en que pudieran escoger su amo, y esa libertad era la que la alcahueta les llevaba. La invocación a Plutón-Lucifer no era sino una treta más de Celestina para asaltar en forma eficaz la bolsa de Calisto.

Resguardada por la fuerza del conjuro, todo para la Celestina fue propicio ese día. No tropezó, como otras veces; las piedras se apartaron para evitarlo; no le estorbaron las luengas faldas ni se cansó al mucho caminar desde su choza hasta la gran mansión de Pleberio y todos los que con ella se cruzaron la saludaron. Soliloqueando, como era su costumbre, se dijo: "Ni perro me ha ladrado, ni ave negra he visto". Fue con mejores augurios que el Cid a su destierro, cuando primero hubo la corneja diestra y luego húbola siniestra. Y con tanto buen pronóstico, mediante Plutón, en todo la acompañó un éxito continuo.

Cuando habló con Melibea, sabia siempre, la madre Celestina coincidió con Ronsard: "Dios la deje gozar su noble juventud y florida mocedad, que es el tiempo en que más placeres y deleites le alcanzarán"... Es como si oyéramos al siempre enamorado vate, el adorador de Elena: *"Vivez, si m'en croyez, n'attendez á demain: / Cuillez dés aujourd'huy les roses de la vie".* (Vive ahora, no aguardes a que llegue el mañana, / coge ahora mismo las rosas que te ofrece la vida". Traducción de Carlos Pujol). Y coincidió conmigo sobre la vejez: "Que, a mi fe, la vejez no es sino triste mesón de enfermedades, posada de pensamientos, amiga de rencillas, congoja continua, llaga incurable, mancilla de lo pasado, pena de lo presente, cuidado triste de lo porvenir, vecina de la muerte, choza sin rama que se llueve por cada parte, cayado de mimbre que con poca carga se doblega! "¡Oh, cómo puede manar tanta verdad de esa vieja boca desdentada! Pero, sigue ella otro día, hablando con Lucrecia, una de sus mozas, hay que recibir la vejez sin desesperarnos, hay que vivirla sin amargura. "Mundo es, pase, ande su rueda, rodee sus arcaduces, unos llenos, otros vacíos. La ley es de fortuna, que ninguna cosa en su ser mucho tiempo permanesce: su orden es mudanzas. Proverbio es antiguo que cuanto al mundo es o crece o descrece. Todo tiene sus límites, todo tiene sus grados. Mi honra llegó a la cumbre, según quien yo era: de nescesidad es que desmengüe y abaje. Cerca ando de mi fin. En esto veo que me queda poca vida. Pero bien sé que sobí para descender, florecí para secarme, gocé para entristecerme, nací para vivir, viví para crecer, crecí para enejecer, envejecí para morirme. Y pues esto antes que agora me consta, sofriré con menos pena mi mal; aunque del todo no pueda despedir el sofrimiento, como sea de carne sensible formada''. Ella va en toda esta lección de sabiduría acompañada por Petrarca y aprendiéndola, nosotros debemos también, cuando nos llegue el hora, sufrir con menos pena nuestro mal, aun cuando del todo no podamos evitar el sentimiento, ya que somos de carne formados y la carne gime al sentirse envejecer y morir. Y cuando Melibea, ya su amiga fiel, le dice: "Madre: gran pena tendrás por la edad que perdiste. ¿Querrías volver a la primera?", ella, ya en la cumbre de su sabiduría, lo niega: no quisiera volver a vivir. Si la invitaran, con poder suficiente, a vivir de nuevo la vida, se negaría. "Loco es, señora, el caminante que, enojado del trabajo del día, quisiese volver de comienzo la jornada. No hay cosa más dulce ni graciosa al muy cansado que el mesón. Así, aunque la mocedad sea alegre, el verdadero viejo no la desea. Porque el que de razón y seso caresca, cuasi otra cosa ama sino lo que perdió''. Pero ese, el que sólo ama lo que perdió con la edad no es "el verdadero viejo". Este, sabe que envejecer es lance forzoso y que toda edad tiene su vid. Nadie, si bien lo piensa, tendría fuerzas suficientes para recomenzar la vida. Y he aquí que en la historia del alcahueta hemos topado con las grandes verdades que menester es distinguir y aprender, para entender la vida.

Fácil fue convencer a la brava moza, que en realidad amaba a Calisto desde el día del donoso episodio del huerto. La batalla fue hermosa y Melibea la perdió con honor y con dulzura, como conviene a una brava doncella dueña de la soberana hermosura. Es lógico que la doncella, al recibir los primeros requirimientos del amor, se resista. La invitan a un campo que no sólo desconoce, sino que, allá en tiempos de la Celestina, era descrito como el campo donde el diablo cosechaba almas para su tormentorio. La tientan a rebelarse contra todo lo que ha sido su vida, en la cuidada y próbida casa paterna, rodeada de sus dueñas, cercana al amor de la madre, a la sombra del padre, señor feudal lejano que sólo quiere su bien. En cuanto al compañero de la vida, al padre de sus hijos, y a sus progenitores, cuando ella llegue a la edad conveniente, le escogerán el que convenga, por edad, por posición social, por riqueza, por buenos sentimientos y fama. Ella no deberá temer: el amor vendrá en casándose. La vida en común, los castos placeres del tálamo, la seguridad, el ser ya reina de su casa, el poseer una vida que es suya y de su esposo y que mañana será de sus hijos, es suficiente y para nada más Dios creó a la doncella. La tentación al valle de las pasiones, donde el desengaño es el premio del deleite y del dulce ensoñar, es algo que Dios reprueba, porque El no quiere la desgracia de los sus hijos que siempre al placer, al deleite, a la pasión que oscurece el pensamiento, ciega el buen entender y halaga los sentidos, acontece como última etapa inevitable. Por eso es que la doncella se resiste al primer embate del amor, a los requiebros iniciales del enamorado, a los seductores acordes de la tercera. Pero luego, la candela de la pasión se prende, el diablo sopla, y ya no hay fuerza en el mundo que pueda apagarla: la doncella marcha gozosa, pisando espinas que se le antojan rosas, a cumplir su destino.

Y fue con este fausto motivo, este triunfo admirable, que la suma alcahueta cantó el himno de su profesión, que en el fondo no es otra cosa que el himno del amor triunfante: lo cantó como, a su debido tiempo, doña Urraca la Trotaconventos, como lo han cantado todas las alcahuetas del mundo, entonces, cuando eran indispensables porque el camino estaba cerrado para los enamorados y no era la flecha de Cupido la que decretaba los matrimonios, sino la avara y pedestre, si bien intencionada, voluntad de los padres que no admitían simpatías ni sentimientos, sino únicamente linajes y riquezas, dotes y títulos. La vieja se gloría con Calisto de su fácil victoria con Melibea: "La mayor gloria que al secreto de la abeja se da, a la cual los discretos deben imitar, es que todas las cosas por ella tocadas convierte en mejor de lo que son". Y más tarde, cuando Lucrecia, le dice que su trabajo es muy arduo y no muy bien galardonado, la vieja contesta con un elogio a todo dar de su honrado quehacer: "¿Trabajo, mi amor? Antes descanso y alivio. Las mozas (que he conquistado y conquisto) me obedecen, todas me honran, de todas soy acatada, ninguna se sale de mi querer, lo que les digo es bueno, a cada cual le doy el que desea.

Mío es el provecho, suyo el afán. Caballeros viejos y mozos, abades de todas las dignidades, desde obispos hasta sacristanes, a mí recurren y por mí logran su deseo. En entrando por la iglesia veo derrocar bonetes en mi honor, como si yo fuere una duquesa. El que menos ha de negociar conmigo y si no, de ruin se tendría. A media legua que me viesen, ya dejan el Libro de Horas. Uno a uno vienen donde yo estoy, a ver si mando algo, a preguntarme cada uno por la su enamorada o querida. Preste ha habido que, estando diciendo misa, en viéndome entrar se turbó tanto, que no fizo cosa a derechas. Unos me llaman señora, otros tía, otros enamoradora, otros vieja honrada. Allí se conciertan las venidas a mi casa, allí las idas a la suya o las entradas secretas en la casa de la enamorada, allí se me ofrecen dineros, allí promesas, allí otras dádivas, besando el cabo de mi manto y aun algunos besándome en la cara, por me tener más contenta. A tanto hame traído la fortuna desgastando zapatos, como buena trotera o Trotaconventos''. Y ante una observación de Sempronio, continúa: ''Y aun no te he dicho todo. Por esta puerta han entrado, como tú, los escuderos y mozos, a que me acompañasen, y apenas era llegada a mi casa cuando entraban por mi puerta muchos pollos y gallinas, ansarones, anadones y perdices, tórtolas, perniles de tocino, tortas de trigo, lechones. Pues, ¿vino? ¿No me ha sobrado siempre lo mejor que en la ciudad se bebía, de Monviedro, de Luque, de Toro, de Madrigal, de S. Martín y por ello tengo la diferencia de sus gustos y sabor en la boca y en la memoria? Que harto es que una vieja como yo, en oliendo cualquiera vino diga de donde es. ''Y en otra ocasión, disputando con el mismo Sempronio: ''¿Quién soy yo? ¿Quitásteme tú de la putería? Calla tu lengua, no amengües mis canas, que soy una vieja cual Dios me hizo, no peor que todas. Vivo de mi oficio, como cada oficial del suyo, muy limpiamente. A quien no me quiere no le busco. De mi casa me viene a sacar, en mi casa me ruegan. Si bien o mal vivo, Dios es el testigo de mi corazón''. Y esto, que es su última defensa, fue dicho cuando la pelea por la tercia parte, aquella en que la espada vil de Sempronio le cercenó la vida.

El enamorado, cuando el alcahueta le consigue lo que quiso, estalla en elogios y da por bien gastados todos sus dones. Allí lo tienen a Calisto, elogiando a Celestina en toda la extensión del acto sexto. En adelante la recibe con grandes aspavientos: "¡Oh, joya del mundo, socorro de mis pasiones, espejo de mi vista! El corazón se me alegra en ver esa honrada presencia, esa noble senectud'', así le dice y no hay en su dicho hipocresía ni mentira, está lleno de gratitud, aun cuando todo ese bien harto dinero le ha costado, pero... ¿qué es el dinero para el enamorado?

La tarea del alcahueta continúa. En el mundo en que vivimos los jóvenes no están ya aprisionados y si el amor los llama pueden libremente acudir. Mas este mundo es muy grande y es difícil que los corazones solitarios se encuentren y acompañen, en medio de tan apretada y distraída multitud. Para vencer la peor de las soledades, que es la del hombre entre el río de sus semejantes, muchas veces es indispensable, ¡de nuevo!, el alcahueta y si un obstáculo imprevisto surge y de ellos la vida está llena, o se necesita un refugio bien seguro, el alcahueta vuelve a ser tan indispensable como en los años lejanos, en los de doña Endrina y don Melón, Calisto y Melibea, Romeo y Julieta.

DOS ESTAMPAS DEL DIABLO COJUELO

1. Clasificando un diablo

Cuando don Cleofás, el licenciado, hidalgo a cuatro vientos, caballero huracán y encrucijada de apellidos, galán de noviciado y estudiante de profesión, halló al Diablo Cojuelo en un desván, prisionero en la clásica redoma por artes de un astrólogo, tuvo cuidado, antes de soltarlo, de realizar un prolijo interrogatorio. Probó así el licenciado lo buen alumno que en su universidad fue y sus conocimientos como interrogador y clasificador, resultando que del Diablo Cojuelo se sabe ahora más que de ningún otro papagayo de piedra azufre.

Así, sabemos que el Diablo Cojuelo es español, aun cuando no quiso declarar en qué ciudad universitaria y sede de arzobispado había nacido: es el espíritu más travieso del infierno y, a pesar de su pequeñez y de su cojera, un demonio de mucha fama, celebrado en ambos mundos y nada plebeyo; gracias a su pequeñez puede meterse en todas partes, ya que cabe en todas las hendijas sin necesidad de tomar chiquitolina; puede ser considerado el pulgas del infierno sin ofenderlo: el pulgas, el chisme, el enredo, la usura y la mohatra, todos estos dictados le caen como anillo bien medido al dedo correspondiente; es el gran introductor de bailes, porque el baile es la gran oportunidad de ganar para el infierno almas a pares. Trajo al mundo la zarabanda, el déligo, la chacona (posteriormente colaboró con él Bach poniendo música a tan pequeña realización infernal), el bullicuzcuz, las cosquillas de la capona, el guirigay, el zambapalo, la mariona, el avilipindi, el pollo, la carretería, el carcañal, el guineo, el colorín colorado... lo cual nos hace sospechar que ha seguido activo en el mundo y que a él le debemos todos los bailes endiablados, en especial a partir del charlestón, toda esa cadena en la que entran el fox-trot, el two-step, el tango, el mambo, la cumbia, el botecito, el swing, el chachachá, la zamba, el twist, el bunde: ustedes saben, si seguimos la lista se llenará este libro y caeremos entonces en la manía enumeratoria y erudita de la cual el Diablo Cojuelo ha sido formidable impulsador. Además, se supo que el pequeño trasgo fue el que inventó las pandorgas, las jácaras, las pataratas, los comos, las mortecinas, los títeres, los volantines, los saltambancos, los maesecorales... y así hasta llegar al strip-tease, los filmes pornos, las revistas ídem, la melena garconne, la minifalda, el topless, los pantalones ceñidos para las damas, los hotshorts, el peinado punk, los pitos, la blanca, la liberación de los gay, los remitidos de prensa, en fin todos los pequeños embelecos que sacan a la gente de sus casillas, alborotan a la juventud y la hacen desertar del hogar, destruyen la paz del barrio y envenenan el diario vivir de las familias: el diablo que soltó Pérez Zambullo no ha dejado de estar trabajando y ha demostrado una fecundidad de imaginación que no admite rival.

El Diablo Cojuelo, en desacuerdo con los grandes clasificadores de diablos, Milton y el Dante incluidos, describió de manera muy diferente a los demonios que más prestigio han alcanzado, al parecer injustamente, entre nosotros. Así, si hemos de creerle, y en materia de diablos tal vez haya que creer a un diablo, Lucifer no es sino un "demonio de dueñas y escuderos", Satanás, apenas un "demonio de sastres y carniceros" y Belcebú, "demonio de tahúres, amancebados y carreteros", lo cual los baja al sótano de la lista y nos deja sin saber cuales son los que dirigen a los partidos en el Gobierno y en la Oposición; cuales son los que formulan y enseñan la teología de la liberación; cuales son los que planean la gran estrategia marxista; los que inventan las nuevas enfermedades y las nuevas contestaciones y los que mueven el terrorismo, la devaluación universal, la deuda internacional y la constante creación de nuevas religiones.

Gracias al licenciado Pérez Zambullo sabemos algo cierto sobre el aspecto del diablo, por lo menos del Cojuelo, diablo menor, ciertamente, pero no por ello menos diablo. El pequeño trasgo era "un hombrecillo de escasa estatura, sembrado de chichones, calabacino de testa, badea de cogote, chato de narices, la boca formidable, erizados los bigotes, los pelos ralos, como si desde la eternidad le viniese una calvicie incipiente, nunca desarrollada". No tenía sino dos colmillos solitarios que le apuntalaban la boca y no había en ella más muela ni diente en los desiertos de las encías, pero esto ahora no nos servirá para identificarlo si lo volvemos a encontrar, porque sin esfuerzo sin duda se ha comprado ya una dentadura postiza.

2. Se reúne la Academia

Cuando es el diablo quien habla, no es posible saber si lo hace de mala o buena fe: diremos que de mala, que es lo seguro, ya que tratándose de un diablo lo bueno es la excepción y siempre una excepción mal intencionada, como el decir esas verdades que producen un terremoto mayor que las mentiras. Así, cuando le dijo al licenciado Pérez Zambullo: "Si quieres, éntrate a entretener dentro" y le mostró la Academia en sesión, de mala fe habló y donde dijo "entretener", nosotros, lectores avisados, hemos de entender "aburrir". Pero cuando don Cleofás, hombre muy inclinado a la habilidad de hacer versos a diversos asuntos y otros ardides conexos a la calidad de "ingenio" (y no ingeniero, que el serlo no significa el ser ingenioso, que es lo propio de un ingenio), dijo: "En ninguna parte nos podemos entretener tanto", hemos de entender correctamente "entretenerse" y de ninguna manera "aburrirse".

Para ir debidamente vestidos, con el atuendo conveniente, a dos que tranquilamente dormían su descortesía, les quitó los anteojos, con sus cuerdas de guitarra para las orejas, como era la moda del tiempo, y con ellos cabalgando en sus narices entraron muy orondos, dignos y reverendos, que los lentes, señal de que los ojos han sufrido por el mucho leer, sacrificio necesario para que los sesos eleven la calidad de su condumio al nivel exigido por la Academia, han dado severa dignidad a los rostros, de otra manera inocuos, de mil y un falsos académicos y han inducido a error a mil y un incautos, entre sabios y lelos, que entre ellos se confunden los confines.

Allá dentro encontraron, con el agasajo que solían, ingenios a los cuales, librado a su íngrima importancia, jamás podría don Cleofás acercarse y menos con ellos tertuliar, pues los grandes ingenios que habitan en las Academias no están al alcance del espeso vulgo: ingenios cuyas casas eran siempre el templo de la música y de la poesía y con los cuales, confundiéndoles los papeles y trastornándoles las citas y los bemoles trataba de continuo el Diablo Cojuelo, y de cuyos nombres, La Torre, Melgarejo, Saavedra, Guzmán, Las Casas, Rozas y Rosas (ingenios peregrinos que honraban el poema dramático) y Coronel Salzedo (fénix de las letras humanas y primer Píndaro andaluz, cuya calidad de fénix no está demostrada pues hasta ahora no brota de sus propias cenizas), no queda ni memoria: ello, compañeros míos académicos de la lengua, que me acompañan en la insegura inmortalidad concebida aun en vida, Pérez, Rumazo González, De la Torre Reyes, Rojas, Suárez Vintimilla, Luna Tobar, Rodríguez Castelo, nos prevenga de la veleidad de la memoria de las generaciones por venir y nos reduzca a tiempo a resignarnos a la evidente y dura posibilidad de que el olvido, polilla de la inmortalidad, agujeree y haga polvo la gloria de nuestros nombres, esa que ofrecimos a Dios cuando fuimos llamados a limpiar, fijar y dar esplendor, tarea en la que rivalizamos con los limpiabotas, ellos a los zapatos, nosotros a la palabra, materia prima en la que los poetas plasman sus obras admirables. Fuerza es reconocer que de los académicos que el Cojuelo y Pérez Zambullo hallaron esa noche reunidos en Sevilla, solamente Alvaro Cubillo, ingenio granadino, excelente cómico y grande versificador, dotado de aquel fuego andaluz común a todos los que nacen en tan privilegiada tierra (como dijo el Cojuelo) acude a nuestra memoria con la humilde inmortalidad de tercera clase que hasta ahora rescata su comedia "Las muñecas de Marcela".

Corteses, como a través de las generaciones somos los académicos, los de Sevilla se levantaron al entrar, muy severos y dignos, el Cojuelo y Pérez Zambullo, y el Presidente repicó con su campanilla y les invitó asiento mientras doña Ana Caro, la décima musa sevillana, leyó una silva al Fénix de los Ingenios y cuando ella hubo terminado, dio la palabra a los recién llegados, influido por la malicia del Cojuelo, que los dotó de aura de notables, y les pidió gentil muestra de sus versos. El Licenciado, sonriéndose in pectore, recitó sin hacerse más de rogar un soneto escrito por don Luis Vélez de Guevara (es aquel que comienza: "Aquel que, más allá de hombre, vestido/de sus propios augustos esplendores") con el cual, presentándose como fluido versificador, Pérez Zambullo ayudaba a su vez al autor, a la Academia y a sí mismo a adular al Rey, acción siempre conveniente, que nos puede ayudar si no a ganarnos el pan de hoy, a encontrar mañana una prebenda.

Y adviértase aquí el enredijo de pillerías que se va paulatinamente tejiendo: el Cojuelo induce al Presidente de la Academia (entonces Antonio Ortiz Melgarejo, "ingenio eminente en la música y en la poesía") a invitar al recién llegado a decir versos, pensando que así quedaría en ridículo el Licenciado, su amigo y aliado, una diablura típica del Cojuelo. Pero don Cleofás era, a su vez, todo un gallo, y apropiándose del soneto de Vélez de Guevara, salió muy bien del paso, y a su vez, el tal Vélez, al relatar las hazañas del Cojuelo y su compadre, aprovechó del lance para sacar a luz el soneto que había escrito en flagrante adulación al rey "Filipo el grande", corriendo tras de una prebenda. Todos actúan con redomada mala fe, nada de lo que hacen es sincero. Melgarejo, el Presidente, persigue, al pedirles que reciten, avergonzar a los recién llegados atrapándolos ineptos para tal siniestro ejercicio, inexcusable tratándose versificadores; Pérez Zambullo no vacila en tomar lo ajeno a falta de lo propio y Vélez de Guevara usa de mala fe a su creatura para adular, practicando impúdicamente el palanqueo. Así que, endemoniadamente como corresponde estando presente el diablo, cada cual atiende a su juego.

Consta (y ello no es verdadero crédito para la Academia, ciertamente) que la recitación de Pérez Zambullo fue aplaudida por todos, aun con vítores y un dilatado estruendo, lo cual no ocurriría aquí, en Quito, si un licenciado en sesión pública de la Academia, fuera invitado por el doctor Galo René Pérez a recitar y correspondiera a la invitación con un soneto loando a Febres Cordero, en pos de obtener un consulado o un puesto en la Aduana. Los tiempos, aun en sitios tan poco afectos a cambios como las

Academias, han sufrido radicales transformaciones. La velada, esa vez en Sevilla, se fue poco a poco maleabilizando, porque el Cojuelo recitó, a su turno, otro soneto, que ya no es de Vélez de Guevara, sino del propio diablo y esta acta de la Academia nos permite saborear un auténtico poema infernal, que a estas alturas y sin estar en antecedentes, aparece más que inocente, inocuo, pero que tras esa apariencia se las trae, pues en la metáfora del sastre-caballero desacredita las hipérboles que Vélez de Guevara cometió en pro del Rey, en el muy esbirriante soneto del que se apropió el Licenciado don Cleofás: "Pánfilo, ya que los eternos dioses/por el secreto fin de su juicio/no te han hecho tribuno ni patricio...". ¿Pánfilo, el Rey? ¿No lo hicieron los dioses tribuno ni patricio? ¡Par diez, qué es lo que oigo! ¡Sólo el diablo para decir verdades! Y conste que en nada aquí entró la poesía: solamente, suplantándola como es de uso, actuó la versificación, ese Salieri hábil y pedestre que siempre camina a los talones de Amadeus. Y, por favor, atención al segundo terceto, donde el Cojuelo se burla de Pérez Zambullo por haberse lucido con los versos de otro: "Esto, Pánfilo, Roma te aconseja: / no digan que de plumas que has hurtado/te has querido vestir como corneja". Aquí, Pánfilo, está claro, no es el Rey, sino Cleofás, el falso versificador. Y algo más: Roma es el propio diablo y, aun otro detalle: al terminar el segundo terceto, el Cojuelo le da a Vélez de Guevara un sano consejo: "un plebeyo no aspira al Consulado". ¡Sanos consejos, el diablo! ¡oh, cuanta diablura!

Y no seguiremos, ¿verdad?, las inocentes (en apariencia, nada más, porque sólo en apariencia el diablo es inocente) incidencias en la Academia ni la gozosa maldad con la que el Cojuelo lleva a su Licenciado de la reunión de los superiores ingenios en la Academia a la reunión de los pícaros en el Garito de los Pobres, donde también se intercambian métodos y sistemas, si no para escandir sonetos, sí para desvalijar al prójimo: toda coincidencia es eso, simplemente pura coincidencia, diablura del Cojuelo.

DOS ESTAMPAS DEL SEGUNDO LAZARILLO

1. La reconciliación interrumpida

Cuando, a consecuencia del mucho ruido, vinieron los corchetes, aquel que había sido bravo campo de batalla, en el cual diéronse de puñadas, bofetadas, pellizcos, coces y bocados, desgreñándose y hartándose mutuamente de mojicones, era un desierto total, con la inexplicable calma de los campos de batalla al día siguiente. Al oír el sacramental "Abran a la Justicia", unos huyeron por aquí y otros por allá y en tanto se echaba abajo la puerta dejaron capas, herreruelos, espadas, chapines y mantos, según el sexo y el oficio de quien huía, y tan sólo quedaba Lázaro, que por esos días era portero y que no abrió porque sabía cuando se podía abrir y cuando no, no hubo otro sino él a quien detener: el primer corchete le asió de los cabezones y ya hubiere partido solitario a la casa grande, madre de los sin hogar y puerto de los perseguidos, sino fuese porque bajo tierra brotó un ruido mayúsculo, mayor aun que el que reinara antes y era como si el arca se rodara del Ararat abajo, con el patriarca Noé dentro, más borracho que nunca. Lanzáronse los malditos sótano adentro y hallaron que rodaba un tonel como si en su vientre lucharan los demonios, llevándolo de lado a lado de la bodega.

Los corchetes creyeron (y no es posible explicarse el porqué) que abrir el tonel alborotador era en servicio de Su Majestad Católica, y esquivándole los locos bandeos capturáronle volándole la tapa. ¡Nunca lo hubiesen hecho! No porque brotara un río de aceite o de vino, sino porque cayeron al suelo, insólitamente vestidos con el traje de Adán y Eva el día en que se les perdieron las hojas de parra, una moza y un galán, ambos deslumbrados por las teas excesivas que portaban los enemigos malos, agitados por el sabroso ejercicio que dentro del tonel practiban, tan bruscamente interrumpido y ruborosos porque los vieran tal y cual Dios los crió y sus putas madres los parieron.

Competencia de sorpresas, los corchetes se quedaron viendo visiones, asombrados tanto de lo inesperado cuanto de lo desnudos que esos mozos estaban y de lo hermosos que eran. Echáronles una capa y preguntáronles, porque en el servicio de su Majestad Católica estaba el preguntarles, qué hacían y si lo que hacían era lo que ellos pensaban, por qué razón lo hacían en tan incómodo como inadecuado lugar y no en una cama, como es costumbre en los buenos servidores del Rey.

Ellos, reponiéndose trabajosamente de su pánico, respondieron que ha tiempo eran amantes, pero que estaban reñidos por cuestiones de celos y desconfianzas, y que justamente ese día se reconciliaron y se metieron en una cama, con el traje adecuado, que es el de Adán y Eva, a hacer las paces y en ello estaban cuando oyeron entrar a los corchetes, tras echar abajo la puerta y sin tiempo para reflexionar corrieron al sótano y se metieron en un tonel seco y vacío que a mano hallaron, dentro del cual continuaron su reconciliación con tanta fe, que el maldito receptáculo perdió el equilibrio, comenzando a rodar de extremo a extremo del sótano como si estuviese en la cala de un barco durante una tempestad.

Mientras los corchetes la emprendían con los demás toneles en busca de los que alborotaban y de cuantos estuviesen también haciendo las paces, y los hallaban metidos en aceite como sardinas o en vinagre como pepinos, los recién concertados tras tanto desconcierto acertaron a hacerse humo para continuar su dos veces interrumpida reconciliación en otra parte más segura, donde pudieran por fin llevarla a cabo sin experimentar emociones adicionales y, como ellos, escurridizo como siempre, Lázaro trató de huir, que el que huye vive, pero no lo pudo y al final recibió, como siempre, bajo el techo de la casa grande, que ya era suyo propio de tantas veces como lo había cobijado, su ración de coces y puñadas y entre todas una que lo descalabró quitándole los pocos dientes que aún tenía.

2. El extraño cofre visitante

Esa vieja alcahueta tenía más colmillos que un jabalí y una boca que olía como la alcantarilla madre, pero Lázaro, que ya tres días no masticaba sólido, creyó que la tenía fragante como fresca manzana cuando le propuso cuatro cuartos por llevar un cofre a una casa cercana, un cofre que era exactamente igual a un ataúd. Desde luego, pero, al cargarlo, ¡cómo pesaba el maldito! La alcahueta le dijo que debía llevarlo con cuidado y sobre todo sin correr y Lázaro qué otra cosa podía hacer, si de no comer sólido tres días, de andar, andaba, pero tan lento como una tortuga de quinientos años.

La damita que en aquella casa limpia y sin duda regalada recibió el cofre era fresca y se podía pensar que con los años se pondría algo repolluda, pero hoy en día era redondita como para boca golosa, y se sonrojaba con solo tocar el extraño cofre visitante. Ella fue quien personalmente pagó a Lázaro su estipendio y le dijo que volviese al siguiente día, al filo de las nueve, ni antes ni después, para que se lo volviese a llevar a donde le indicara la alcahueta, que allí estaría y Lázaro pensó que bien sabía qué clase de condumio ese cofre tenía y a qué uso iba a dedicarlo la olorosa y sabrosa damita que lo recibía tan llena de rubores.

Lázaro comió sólido y durmió en cama y resolvió decirle a la oportuna alcahueta que lo contratara en forma perpetua para trasportarle los cofres donde le conviniere, que tras un mes de cargarlos, comiendo y durmiendo como gente, cada vez mejor cargador sería y más rápido y con mejor tiento llevaría y traería sus ataúdes con condumio vivo. A la mañana siguiente fue a la hora mandada, porque Lázaro era hombre serio y en la esquina, antes de llegar a la puerta de la casa de la futura repollita, halló a la alcahueta que lo esperaba bastante inquieta y acercándosele al oído le dijo que si alguien se metía con él a preguntas le dijese simplemente que venía a por el cofre que una amiga de la redonda damita habíale recomendado mientras iba a visitar a una parienta en Segovia. La novedad era que los padres de la repolludita habían venido antes de lo esperado.

Cuando Lázaro entró dio su recado y padres y hermanos de la niña ayudáronle a acomodar en sus flacos lomos el pesado cofre y lo precedieron, esperándolo en el recibidor, conversando alegremente entre todos sobre cosas que al cargador le importaban un pito. Y todo iba bien, demasiado bien, hasta que Lázaro encontró en la escalera un estorbo, tropezó y rodó lindamente hasta donde lo esperaba el estado mayor de la familia, rompiéndose como de costumbre ambas narices y algunas costillas. A su par rodó el cofre y saltó su tapa y de su vientre saltó también un mancebo galán con espada y daga, ropilla de camino de raso verde, ligas encarnadas, medias de nácar y zapatos blancos. A su costado derecho saltó un sombrero galán, de fieltro, con ala alzada y buen plumaje.

Tan pronto cayó el mozo en medio del familiar asombro, los llantos de la madre y de las hermanas y el oportuno desmayo de la redondita y la siempre fallida tentativa de fuga de Lázaro, púsose de pie con buen donaire y haciendo una gran cortesía, en la que el plumaje de su sombrero barrió el suelo, salió muy tranquilo sin volver a ver lo que tras su espalda dejaba. Un criado robusto, de cara de besugo, le echó mano a Lázaro mientras todos, espada en mano salían tras el galán, con quien luego volvían entre gran gritería, a hacerle casar. Tanta era la bulla y el desorden y ajetreo consiguiente, que dejaron ir a Lázaro, que buena tarea tenía en recomponerse las costillas rotas y sorberse la nariz.

EL ESTRENO EN ALCALA

–Un episodio de la Vida del Buscón–

Pablo, llamado en plural, ignoro porqué, va a Alcalá de criado de un estudiante rico llamado don Diego Coronel. Y debe padecer el "bautizo", o sea el estreno en el primer día de asistencia a la Universidad, donde estudiará a la par del amo, mientras le sirve, y luego en la posada, donde tiene cuarto común con otros criados de estudiantes ricos, todos de pareja edad. Con tal motivo, podemos recordar nuestro "bautizo" en el Instituto Nacional Mejía — y hemos oído contar acerca de tal "ceremonia" en el Colegio San Gabriel y en el Colegio Militar "Eloy Alfaro", y hemos leído cómo cuenta Vargas Llosa el que se tributaba en el Colegio Militar "Leoncio Prado", de Lima, a los novatos, de manera que no nos asusta lo que en Alcalá hacían con los que recién llegaban, ni siquiera lo censuramos: los muchachos son iguales a través de los siglos y los viejos también. Esto fue lo que pasó en Alcalá con Pablo, llamado en plural, mucho antes de que conquistara fama mundial como "buscón", gracias al arte de su biógrafo el muy mentado don Francisco de Quevedo.

El dueño de la posada, todo mieles para el joven amo, fue desde el primer día todo hieles con el joven criado. Según lo cuenta, el posadero tenía cara de "creer en Dios por cortesía" (con la Inquisición) y lo recibió "con peor cara que si yo fuera el Santísimo Sacramento". El día comenzó con los estudiantes pidiendo a su rico compañero el amo de Pablos "la patente", lo que terminó en sacarle veinticuatro reales. Mientras, prudente, Pablos se puso un almohadón delante y otro detrás: parecía una tortuga sacando la cabeza. No lo vieron, no le hicieron caso, feliz habría sido si así lograba pasar todo el día.

Ya en la Universidad, a su amo lo llevaron con los ricos y no hubo para él novatada. ¡Pero con Pablos! Llegó y todos gritaron: "¡Nuevo!", una palabra mortal. El, por disimular y ver si llevaba la cosa por el mejor lado, se rió y nueve malvados lo rodearon riéndose a carcajadas. Pablos se puso como un tomate. A esa sazón llegó otro elemento y se puso a gritar, tapándose las narices: "Acaba de resucitar este Lázaro: vénganse a oler como hiede". Pablos no hedía, esa mañana se había bañado y puesto ropa nueva. A la convocatoria, todos se pusieron a bailar en su torno, tapándose las narices. Pablos también se las tapó y comenzó a bailar, haciéndose el que era parte de la mojiganga y no su objeto. Como si lo hubiesen ensayado, comenzaron entonces todos a toser y a rasparse por dentro la garganta o mejor dicho, a expectorar y Pablos presintió lo que iba a ocurrirle: abrían y cerraban las bocas, aparejaban gargajos. Y un manchegazo terrible se le acercó y mirándolo como si se lo fuese a comer, le dijo: "¡Esto hago!", disparándole el primer gargajazo entre los dos ojos, ¡soberbia puntería!, de mayor iría a Flandes. Luego cayó sobre Pablos la tempestad cerrada, tanta que acabó con su razón: tapóse la cara con la capa, pero cuando acertó a hacerlo ya la indigna nevada lo había pavimentado, tan rápida fue y ¡era de ver cómo tomaban la puntería! Se miró por un agujero que la capa tenía y se vio nevado de pies a cabeza. Entonces alguien balanceó la cosa como suficiente y gritó: "¡Basta ya!" y la cerrada descarga cesó,... pero cuando Pablos sacó la cabeza el que gritó "¡Basta ya!" le acertó el último supergargajo en la mitad de la frente. Naturalmente, Pablos se volvió loco y entonces entre todos lo tiraron a tierra y con rara unanimidad se pusieron a vomitar sobre él: se habían introducido plumas, de las de escribir, en el gasnate y cosechaban y cuando ya nada tuvieron para darle comenzaron a los pescozones y visto que no había tramo de su cuerpo que no estuviera cubierto de materia, gargajo o vómito, aflojaron y Pablos logró salir y casi ciego, a todo correr, llegó a su posada y sólo se topó con tres muchachos, de modo que a su gran provisión solamente añadió tres nuevos copos de nieve.

Este es el fin de la primera jornada, que no fue la peor: ahora empieza la segunda y cosa brava fue que de ella saliera a un cuerdo el chico. Esto fue lo que pasó: a la entrada se dio contra el portero, que era morisco y le dijo, queriendo conseguir compasión: "¡Ecce homo!" y la odiosa bestia se le fue encima y le dio dos libras de porrazos que lo dejaron medio derrengado y así subió a su cuadra, se quitó la inmunda sotana y el indigno manteo, colgólos del garfio y se metió en la cama. Tan pronto lo hizo oyó llegar a su amo, que se amoscó viéndolo dormido a esas horas (y no lo estaba, el pobre simplemente lo aparentaba) y le cargó a repelones hasta casi dejarlo calvo. Entonces, Pablos se le mostró, "ecce homo" de verdad y por fin el amo entendió, demorándose lo que normalmente se demoran los ricos en comprender las desgracias de los pobres y se lo llevó a un aposento en el que había acabado de alquilarle puesto con otros tres muchachos, criados también, para que no viviera en el confuso montón de la cuadra, un acto que se agradece. Allí, Pablos se volvió a acostar y durmió en medio de sobresaltos y pesadillas. Vinieron los otros, que aun no lo conocían: lo despertaron y él, sollozando, les contó su caso y ellos se santiguaron y dijeron: "¡No se hiciera entre luteranos! ¿Hay tal maldad?" y él sintió como un bálsamo esas palabras gentiles y se deshizo en gratitudes que pronto se revelaron prematuras. Ellos se acostaron y cuando él seguía en su sueño entre sobresaltos y jipidos le cayeron con una maroma, y le dieron tantos azotes que él creyó que moriría: era peor que cuando les zurran la badana a los piratas con el gato de las nueve colas: al final hubo de meterse bajo la cama, con la espalda sangrándole. El su vecino se pasó a su cama y en ella vació sus intestinos, que habían estado repletos, dejándola llena, hedionda e imposible. Cesaron entonces los azotes, se hizo gran silencio, Pablos creyó que ya dormían, rendidos por tanto darle con la maroma y se subió a la cama. Nunca lo hiciera: enconfitóse hasta la coronilla. Sin embargo, tal era su molimiento, que se durmió y al despertar, "sucio hasta las trencas", llegó a desconfiar de sí mismo y al llegar el día no imaginaba cómo salir del lago en que se hallaba sumergido, que cama no era donde estaba y todos los hipócritas iban a decirle que se levante, que ya era la hora, y a quererle alzar la cobija y para colmo, llega el amo y le manda que se levante, y le reprende, que ha olvidado su servicio y todos comenzaron a decirle a don Diego lo que sospechaban. Decían: "¡Cuerpo de Dios y cómo hiede!" y pronto quedó claro que era la cama de Pablos la que hedía. Pablos fingió sufrir un ataque del corazón, no se le ocurrió otra cosa, le tiraron del dedo grande sin éxito, le dieron por sobre la cobija garrote en los muslos y al final lo descubrieron: ¡nunca se vio igual porquería! A patadas lleváronlo a una cuba llena que ahí tenían apercibida y lo lavaron, pellizcándolo a su sabor y sacudiéndolo como a pelleja de asno y burlándose de su flacura. Pero, en suma, todo el episodio de la cuba fue obra de misericordia. Lavó la sotana como si fuese gualdrapa, lavó el manteo, ya lavado él mismo, comieron juntos, sin rencores, y aun seguía la burla, pero ya solamente de boca y en tal forma a Pablos ya no le importaba. Pero desde entonces todos fueron amigos, en la casa y en los patios y se defendieron mancomunados, como ocurre siempre en la Universidad. Si del estreno se sale vivo, con los miembros completos y no se pierde la razón, después de todo nos ha ido bien.

JUSTICIA EN LA CORTE DEL SEÑOR MONIPODIO

–Una escena de Rinconete y Cortadillo–

Presididos por el señor Monipodio, comieron ese día como arzobispos. Un catálogo de la mesa incluiría una sábana por mantel, bastante limpia y sobre ella un gran haz de rábanos y hasta dos docenas de naranjas y limones, una gran cazuela de bacalao frito, un queso de Flandes, una olla de famosas aceitunas, dos grandes platos colmados: uno de camarones y otro de cangrejos, coronados de alcaparrones y pimientos y tres hogazas de blanquísimo pan de Gandul. La Corte estaba un sí es no es completa, faltaba alguien que estaba de misión o de guardia y la conversa iba y venía de hazañas a fracasos, con no pocas risas mientras se vaciaban gordos pellejos de vino.

El momento de la justicia llegó cuando, interrumpiendo el copioso yantar, Tagarote, que estaba de centinela, pidió permiso para que entrara Juliana la Cariharta, moza regordeta que iba por ahí, por los veinte, y pedía al señor Monipodio, de cuyo reino se consideraba súbdita, le hiciera justicia en unos entuertos que contra ella se habían cometido, lo cual le fue concedido entre la alegría general. Todos se prometían un buen espectáculo y así fue, no hay razón de negarlo. La suplicante entró toda desgreñada y llorosa, sus sollozos llenaron convenientemente la estancia preparando el memorial de agravios y descabellada y llena de tolondrones cayó redonda al suelo, antes de decir oste ni moste. Dos de las garduñas presentes, la Gananciosa y la Escalanta, la desabrocharon hallándola·hinchada y rasguñada más por atrás que por delante e inhábil para sentarse por quince días, a causa de habérsele pelado a latigazos los almohadones. Echáronle agua a la cara y cuando alzó cabeza le metieron gaznate adentro un buen vaso de vino, con lo cual ya se le pudo preguntar por la causa de los magullones, pellizcos y latigazos recibidos, administrados indudablemente con cinturón de cuero por el lado de la de la hebilla.

Ella dijo que a eso venía y con voz estrangulada por los sollozos clamó justicia contra ese ladrón desuellacaras, cobarde bajamanero, pícaro liendroso al que tantas veces había salvado de la horca, bellaco desalmado, facineroso incorregible, por quien había perdido y malgastado su mocedad, y a una pregunta del señor Monipodio ella confesó que todo fue debido a algo habido con su respecto que, como todos sabían, era el Repolido, quien debiéndole a ella la vida más que a la puta madre que lo parió, la había puesto esa mañana, con su cinturón, tal como al Cristo atado a la columna pusieron los judíos. Del revoltijo confuso de lamentos, jipidos, sollozos, clamores, acusaciones, memoriales de sacrificios y servicios, quejas, maldiciones y sinsabores se pudo restablecer el movido cuadro del cual tanto deterioro había seguido al redondo cuerpo de la Cariharta, la repolida crónica y perpetua del ingrato Repolido.

Ella, claro está, sin quererlo, le dio la ocasión de demostrar sobre su cuerpo lo bestia que era. El Repolido se había instalado a beber, a jugar y a perder y le envió a Cabrillas, su trainel, a pedirle treinta reales urgentes, sin apelación ni demora y ella sólo le envió veinticuatro, pues la noche, a pesar de su afán, no le había dado más. Ella ponía a los Cielos y a su Reina Santísima por testigos de que no ganó más y de que al enviárselos no sisaba ni un maravedí a su amo, como él lo sospechaba, pura imaginación y nada más, pues ella siempre le daba todo lo que su honrado trabajo nocturno producía. Ella conocía bien su obligación, no era ninguna ociosa vagabunda ni una sisadora mañosa, como el infame ingrato lo malpensaba, pero cuando llegó como un brazo de mar a las reconvenciones, no la quiso oír y por ello la puso como estaba, que no tenía punto sano.

Y para probarlo se alzó las faldas hasta la rodilla y muchó más aún, es posible que llegara a asomar la ingle un momento dado, con gran alborozo de Chiquiznaque y Maniferro, que proponían les dejaran examinar el tamaño exacto de los tolondrones y el deterioro de los almohadones y con la decidida oposición de la Gananciosa y la Escalanta, que sabían su carrocería muy por debajo de la de la Cariharta, aun estando la susodicha en estado de emérita paliza y pateadura, como era el caso.

El juzgado del señor Monipodio bien poco juzgado era y bien poca justicia hacía. Comenzó declarando, sublime Juez, que "no ha de entrar por estas puertas el cobarde enrevesado si primero no hace una manifiesta penitencia del cometido delito" y añadió, por que le había gustado mucho lo que, lleno de moretones, había visto del cuero de la Cariharta, "¿las manos había de por en la que es persona que por su cara y por sus carnes puede competir en limpieza y ganancia con la misma Gananciosa, que está delante, que no lo puedo más encarecer?" Y ya se vio: la Gananciosa puso la cara do quien bebe un purgante y a la Cariharta comenzaron a saberle a dulces y pasteles los golpes que con su hebilla le diera su respecto.

Dejó entonces el señor Monipodio, sublime Juez, que tanto la Gananciosa como la Escalanta, quitándose la parola la una a la otra, dijeran que nada hay más sabroso que recibir una buena paliza, mejor aun una cueriza, porque entonces solamente el cuero se hincha y amorata y no hay peligro de que se rompa hueso alguno, ya que tras los golpes y cuerazos vienen los mimos y amores y se pasa una noche preciosa entre quejidos, ya producidos por los golpes, ya por lo que el bandido la quiere a la golpeada. Y la Cariharta reconoció, perversa hembra al fin, que "a la que se quiere bien se castiga y cuando nuestros bellacones nos dan y azotan y patean, entonces nos adoran" y admitió que el Repolido tras darle mil cuerazos le hizo cien mil caricias, a cien caricias por cuerazo "y aun me parece que le saltaron las lágrimas de los ojos después de haberme molido", lo cual era sólo imaginación del momento, ya que en toda su encallecida existencia al Repolido no se le había saltado lágrima alguna. Con lo cual el señor Monipodio, Juez sublime, ya no podía castigar, porque no se castiga a quien tanto placer da.

Y peor cuando las tres mozas de partido comenzaron la idiota tentativa de probar si la Cariharta podía escribirle a su machucante versos y coplas y billetes de amor y gratitud por los latigazos de hebilla, los pellizcos, las patadas y las puñadas que tan generosamente había propinado en el cuero limpio de la redonda y bien torneada pelanduzca.

Y luego, mientras ellas y ellos volvieron al gaudeamus interrumpido por la llegada de la en cueros bien cuereada "y en poco espacio vieron el fondo de la canasta y las heces del cuero de vino", bebiendo los viejos "sine fine", los mozos "adunia" y las señoras "los quiries", entraron el señor Monipodio, su nuevo secretario Rinconete y sus administradores a cuentas de la cofradía y a informes y planes del próximo o de los próximos saqueos y asaltos y las palizas contratadas a pago adelantado parcial, todo ello sazonado con una falsa alarma de llegada de la poli, que no tuvo lugar por estar la patrulla compuesta de corchetes neutros: en todo esto el Juzgado, yo lo pienso, quedó disuelto y desmontado.

Y cuando reinstalado el gaudeamus vino el ladrón desuellacaras, cobarde bajamanero, pícaro liendroso y enrevesado del Repolido, ya no se le exigió que para cruzar el umbral hiciera penitencia del cometido delito: al contrario, entró de lo más gallo y procedió a amenazar a "su enojada" y le dijo que anduviese con cuidado, porque "si se me sube la cólera al campanario, será peor la recaída que la caída". Y por cortesía al señor Monipodio (que parecía importarle muy poco), solamente para que no se sintiera como pintado en la pered, añadió: "humíllese (la bien cuereada) y humillémonos todos y no demos de comer al diablo". No salió de su boca una disculpa ni un propósito de enmienda: su orgullo quedó allí, pintiparado como una estatua.

Y entonces el señor Monipodio, Juez sublime, dio su sentencia de aguas de borraja, que dejó libre para el Repolido tanto como para el Chiquiznaque y el Maniferro el derecho de apalear y cuerear a sus coimas cuando conviniere: "En mi presencia no ha de haber demasías. La Cariharta saldrá a la casa de su respecto no por amenazas, sino por amor mío y todo se hará bien, que las riñas entre los que bien se quieren son causa de mayor gusto cuando se hacen las paces". Y bien sabemos de qué Justinianos aprendió esas doctrinas. Y luego, pensando en lo que, amoratado y todo, aparecía de rico y regalado ese cuero tan generosamente expuesto cuando las comedidas la desabrocharon y ella misma se alzó las polleras casi hasta las ingles, para dar una idea de lo deteriorados que estaban al otro lado los almohadones, le dijo a la Cariharta nada menos que "Ay niña" y "Ay Juliana" y, más aún, "Ay Cariharta mía", y como estos excesos verbales trajeran guiños y sonrisas entre Chiquiznaque y Maniferro, hubo desafío, faca en mano, de parte del Repolido, que ahora había cuereado y pateado con tanta fe y eficacia. Y hubo de ser necesario que el señor Monipodio, Juez sublime, algo entreverado, prohibiera el lance, diciendo que "nunca los amigos han de dar enojo a los amigos ni hacer burla a los amigos, y más cuando ven que se enojan los amigos". Y los reconcilió a tiempo de que, escupiendo por el colmillo los bellacones se desagraviaban diciéndose: "Todos voacedes han hablado como buenos amigos y como tales amigos nos demos las manos de amigos", una fórmula de rutina, a lo que parece.

En este amago de pelea la Cariharta tuvo oportunidad de expresar su amor por el Repolido quien la cuereó, gritando cuando el Repolido se salía, faca en mano: "¡Ténganle! ¡No se vaya que hará de las suyas! ¿No ven que va enojado y es un Judas Macarelo en valentía?", y más aún: "Vuelve acá, valiente del mundo y de mis ojos". Mirando todo esto, todo lo que ese día pasó, con los ojos cínicos y nuevos de Rinconete y Cortadillo, que todo lo que pasaba bien entendían, claro quedaba que el señor Monipodio, Jefe, Administrador y Juez, todo en uno al frente de la Cofradía de los Valentones, lo era más por la buena política y diplomacia que por la autoridad, siendo gran habilidad la suya al mantenerse sobre los amigos que con frecuencia se comportaban como "esquízaros", como "marineros de Tarpeya" y "tigres de Ocaña", según lo dijo la Cariharta, que tanto los conocía, esos amigos que con tanta facilidad ponían la faca en las manos en lugar de dárselas como buenos, como hermanos.

Y, como es sabido, la sesión del Juzgado, de la cual sentó actas Rinconete el letrado, terminó cuando el Juez se unió a la iniciativa de las bellaconas y cantó aquello de:

Riñen dos amantes, hácese la paz:
si el enojo es grande, es el gusto más.
A lo que la bien cuereada añadió:
Detente, enojado, no me azotes más
que, si bien lo miras, a tus carnes das.

Es justo añadir a la poco clara cuenta del Repolido este crédito cierto: al oír cantar a su bien cuereada dijo, siempre seguro de sí mismo, con la correa por la hebilla o la faca en la mano: "No se toquen historias pasadas, que no hay para qué: lo pasado sea pisado y tómese otra vereda y ¡basta!" Una sentencia que no sólo ante el Juzgado del señor Monipodio puede resultar válida.

RETRATO DE LA SEÑORA LOZANA

Según nos lo cuenta su "padre literario" el muy culto y entreverado canónigo don Francisco Delicado, la señora Lozana fue natural compatriota de Séneca y desde su niñez tuvo ingenio y grande viveza, y cuando, ya ella en Roma, viviendo en manos del destino, era hermosa y habladera y lo era tanto, que la sevillana aquella que la acogió y dióle la primera posada le dijo: "Bien se ve que vuestra madre era hermosa".

Sólo una vez se enamoró en la vida. Cuando lo vio desde el balcón de la casa de su tía (donde estaba posando, tras la muerte de su madre), exclamó: "¡Ay cómo es dispuesto! ¡Y qué ojos tan lindos!, ¡que ceja partida!, ¡que pierna enjuta!, ¡que pie para galochas y zapatilla ceyena! Querría que se quitase los guantes por ver que mano tiene". Y él se los quitó, y ella se tomó de esas manos y se fue con él por el mundo, sin pedirle otro bien que su amor. Era el mozo joven marchante y viajaba por tierras y ciudades poco o nunca vistas por ojos de españoles: Alejandría, Damasco, Damiata, Barut, en parte la Siria, el Chipre, El Cairo y el Chío, en Constantinópolis, en Venecia y en Flandes. Por todos esos caminos y esos mares iba él, y ella con él.

Apenas la vida le había pedido la primera sangre, y tan mocita ya sabía hacer hojuelas, prestiños, rosquillas de alfajor, textones de cañamones, y también de ajonjolí y nuéganos, zahínas, jopaipas, hojaldres, hormigos torcidos con aceite, talvinas, nabos sin tocino (y con él) col murciana, y olla reposada con alcarabea tal, que igual no la comía ninguna barba. ¡Que tesoro de moza, cantora, bailaora, con tan donosa pierna y esas caderas de guitarra! Dichoso el marchante que se llevó tal maravilla. Por eso la tía le dijo que no tuviese miedo al porvenir, porque siempre hallaría ajuar cosido y zurcido y Dios nunca la tendría olvidada.

Y así pareció que sería, hasta ese horrible día sin Dios en Marsella, cuando pasó aquella cosa atroz, en la cual perdió a su dulce amante y con él todo cuanto tenía, quedando despojada, en camisa y no logró salvar sino un anillo y eso porque se lo metió en la boca. Joya era de precio, dieron por ella cinco ducados con los cuales pudo irse a Roma y la verdad es que muy pocas veces (y sólo cuando ella lo quería) tuvo que recurrir a su hermosura para vivir.

En la casa de la camisera sevillana, allí comenzó su vida de española romana. Allí había, en verdad, muchas españolas, porque estaban en el barrio de las damas, y ella fue reconocida no sólo por su hablar, sino porque como todas las andaluzas era fresca, graciosa y linda y en su lozanía todas vieron que era de su tierra. Y fue entonces que perdió su nombre de pila, que era el de Aldonza, y se ganó el de Lozana, y fue ya para siempre llamada la señora Lozana y si algún apelativo le daban, el de Andaluza era. Y así lo trajo a la historia don Francisco Delicado, canónigo donoso, de entreveradísimo talante y retorcida conducta, escritor delicioso (y delicado), si los hubo.

¡Y cómo supo ella vivir! Todos en Roma sabían que con los cristianos ella era cristiana y con los judíos, judía y turca con los turcos y con los hidalgos hidalga, genovesa con los genoveses y con los franceses francesa: con todos tenía entrada y con todos salida. Y tanto que sabía, que no necesitaba padre ni madre. Y sin esfuerzo, y sin que soltara prenda, sólo por su linda cara los mozos le daban carne, pan, vino, fruta, aceitunas sevillanas, alcaparras, queso, candelas de sebo, sal, presunto, ventresca, vinagre y cosas más humildes, carbón, por ejemplo o buena leña para la lumbre. Y todos querían dormir con ella y le pedían el lindo cuerpo y había mujeres que decían que quisieran ser hombres para tenerla. ¡Qué pierna de mujer! Y pensaban (sin saber lo que realmente pasó) que el marido que la dejó venir a la barriada de las damas sería un necio, un cualquiera baboso.

Y tenía un mozuelo llamado Rampín, con quien dormía las noches muy frías, sólo por mejorar la tempetura y además educarlo un poco en las costumbres de los hombres. Y el tal mozo salía y gritaba: "Queréis venir, que todo el mal se os quitará si la señora Lozana os ve". Y entraban allí, callando. Por ejemplo, cuando fue, entre cien, la Lombarda, que no era boba, y le dijo: "Señora Lozana, si me remediáis yo os pagaré", y cuando la Lozana le dijo: "Avanti", ella salió con que el suyo era un palafrenero y que ya iba para un mes que no aportaba por su casa y que tal vez tenía otra moza. La señora Lozana dijo entonces a Rampín que le trajera el espejo de almide y allí se hundió en la contemplación y salió de ella diciendo: "Señora, aquí es menester otra cosa que palabras y si me dáis lo que pido yo os diré lo que veo". Y, claro, la Lombarda le dio cinco julios. Y la Lozana mandó encender un buen fuego y a ella le dijo que se ponga en cueros y tiró al suelo un maravedí de plomo y a la encuerada le dijo que mirara y ella vio nítido al palafrenero, detenido acaso por alguien, pero ella no vio por quién, si por hombre o por moza, y la Lozana le dijo que se lo declararía si iba a traerle una gallina nogra gorda y un gallito que sea del año y siete huevos del día y una cosa que hubiese pertenecido al palafrenero y diez julios y la Lombarda se fue y ese era el mejor deporte del mundo, y cuando volvió trayendo todo lo pedido, la Lozana puso un huevo en un orinal, rompiéndolo como si lo fuese a freir, embolsó los diez julios y le declaró que veía claramente (en la yema o en la clara, eso no quedó claro) al individuo abrazado con una moza que no era la Lombarda y que tenía vestidura azul y luego hizo matar la gallina y echarla a la olla con el resto de los huevos y flor de aliño y mirando la espumita que se formaba al primer hervor le dijo que pronto moriría si no le daba diez julios más, y la Lombarda se asustó hasta ponerse pálida y se los dio y entonces la señora Lozana se puso generosa y le dijo que por su magia quedaba el palafrenero ligado per sécula con la Lombarda y no con la otra y cuando la abandonada se fue cantando, la adivina y Rampín comieron una capirotada con mucho queso. Y entonces, entre risotadas, dijo que gracias a que la Lombarda era mucho más boba que lo que parecía salió bien la brujeada, porque había olvidado quemar la prenda del palafrenero que era un rizo de la barba y mandó que se guardase el pollito para otro día.

Cuando había que recurrir a la hermosura como fuente de ingresos ella no vacilaba, que no es cosa de dejarse morir, pero lo hacía con más aseo y elegancia que ninguna, porque ella tenía cuidadosamente catalogadas a sus competidoras, sean de manta o sin manta, estudiadas y clasificadas, y así es bueno saber que las había graciosas más que hermosas, apasionadas, estregadas, afeitadas, esclarecidas, reputadas, reprobadas, mozárabes, carcavesas, de cabo de ronda, ursinas, güelfas, gibelinas, injuinas, de rápalo zapaynas, de simiente, de botón griñimón, nocturnas, diurnas, de cintura, de marca mayor, orilladas, bigarradas, combatidas, vencidas y no acabadas, devotas y reprochadas, convertidas repentidas, viejas, lavanderas porfiadas, meridianas, occidentales, máscaras, enmascaradas, trincadas, calladas, antes de su madre y después de su tía, con virgo y sin virgo, de día domingo y de nunca en domingo, y las que guardan el sábado hasta que se han enjabonado, feriales, a la candela, reformadas, jaqueadas, travestidas, formadas, estrionas, avispadas, terceronas, aseadas, apuradas, gloriosas, buenas y malas, entresales, secretas y públicas, jubiladas, casadas, beatas, mozas, podridas, de tintín y botín, celestinas, alcahuetas, modernas, machuchas, inmortales y las que se retraen a buen vivir en burdeles secretos y las reiteradas, que son las que honran su menester y de éstas se consideraba la señora Lozana, pero solamente en caso de afición o de extrema necesidad, que por lo demás ella no quería vivir de la hermosura sino de la habilidad.

Y como alguna vez le preguntaran a la Lozana, "¿Decidme, señora, y esas damas, vuestras competidoras, son todas desta tierra?", la andaluza, con su erudición sublime y universal respondió: "No, señor a Roma vienen de todas las naciones y así hay españolas castellanas, vizcaínas, montañesas, galicianas, asturianas, toledanas, andaluzas, granadinas, portuguesas, navarras, catalanas y valencianas, aragonesas, mayorquinas; y también sardas, corsas, sicilianas, napolitanas, brucesas, pullesas, calabresas, romanescas, aquilanas, sienesas, florentinas, pisanas, luquesas, boloñesas, venecianas, milanesas, lombardas, ferraresas, monedesas, brecianas, mantuanas, raveñanas, pensauranas, urbinesas, paduanas, veronesas, vicentinas, perusinas, novaresas, cremonesas, alejandrinas, vercelesas, bergamascas, travijanas, piedemontesas, saboyanas, provenzanas, bretonas, gasconas, francesas, borgoñonas, inglesas, flamencas, tudescas, eslavonas, tramontanas y griegas". Y todo lo dijo sin tomar aliento y el preguntón siguió: "Genovesas, os olvidáis". Y ellas: esas, señor, sólo lo son en su tierra". Y el otro preguntó por las malaguesas y la Lozana le dijo: "Esas son malignas y de mala digestión". Y así sabiendo toda esta biblia, era difícil que le pudiesen competir a la andaluza, añadiendo además su buena pierna.

Y para acabar este tratado, la Lozana explicó cómo vivían estas damas (y ella con ellas) y de qué vivían. Si es de vuestro interés saberlo, aquí va el rollo: "Ellas, amigo sacan a cada uno lo dulce y a veces les sacan también lo amargo, aun cuando no es eso lo que querían. Las hay ricas, que no tienen necesidad de expender y sí mucho que guardar y si lo siguen haciendo es para mantenimiento y para que la propiedad no se deteriore; y hay las medianas, que tienen uno firme que mantiene la tela tensa y otras que van, como el puente, a dos bandas, el uno paga y el otro también y a ninguno se fía; y hay las prudentes, que tienen tres fijos, uno paga la casa, otro la manduca y el otro la viste, y de vez en cuando se recibe pasajeros, para los imprevistos; y hay también, claro está, las que saben que todo tiempo pasado fue mejor; y las que tienen seso y las que son locas como cabras en verano; y hay las que se hacen ricas y las que hacen rico al cabrón y las que tienen sobrinos y sobrinas que les chupan la sangre y a la vejez las tiran a la basura tras alzarse con la última limosna; y las pobres novicias, a las que descueran los vivos y las alcahuetas y las que prosperan con casa grande pintada y se mudan sus nombres, que eran de lombrices, y toman cognombres altivos y de gran sonido, como son la Esquivela, la Cesarina, la Imperia, La delfina, La Flaminia, la Borbona, la Lucrecia Borgia, la Franquilana, la Pantasilea, la Mayorana, la Tabornana, la Pandolfa, la Dorotea, la Cardenala, la Orificia, la Oropesa, la Grandama y doña Tal Tález de los tales y así discurren mostrando sus recién aprendidos apellidos y robando por ellos sobreprecio, porque qué tienen ellas para cobrar más que yo, que soy tan lozana... y todas vienen a Roma al sabor y al olor y aciertan, que no hay ciudad mejor para su arte en el mundo, por algo es que reside en ella el Papa y los Cardenales y es la capital de la cristiandad... y las más buenas de todas son las españolas, ¡las únicas perfectas!, y creo que hay hoy por hoy catorce mil buenas, para que no se quede en seco ningún mujeriego".

Y así anduvo un tiempo la señora Lozana hasta que tomó el partido de ser casada, y urdió decir que su marido era comerciante y andaba siempre por Francia y por Alejandría y eso lo hizo porque ser casada es bocado caro y sabroso y costoso y peligroso porque todo lo que se hace a hurtadillas es novela y sabe mejor y todos supieron que el marido iba y venía sin aviso previo y por ello estaba siempre a punto de regresar y eso hacía la aventura más picante y condimentada con saltos por la ventana, sustos y carreras, escondidas en el armario o en el baúl, en fin, sustos y delicias, una comedia que era maravilla y con todo este arte y tan buena inventiva tuvo casa nueva pintada con dos gelosías y tres encerados.

Y por eso su buen amigo Trigo, que era, después de Rampín, el mejor alcahuete de la barriada de las damas dijo que la Lozana tenía la mejor vida de mujer de la vida en Roma y detalló: "Esta Lozana, mi señor, es sagaz y bien mira por las que pasan todas las mujeres en esta barriada, que están sujetas a tres cosas: a la pensión de la casa, y a la gola y por últimas al mal que después les viene de Nápoles; por tanto se ayudan como pueden aguzando el ingenio y por ésto la Lozana quiere ser libre y saca dechados de cada mujer y quería saber su vivir para planear el suyo, pero por lo pronto, como no hay señor que no desee echarse con ella alguna vez, la señora Lozana a todos responde y a todos promete y certifica y de todos ellos saca más tributo que el capitán de la Torre Sabela. Véisla allí, que toda se está meneando y el ojo para acá y viendo si el que se acerca es el que la otra vez le pagó cinco ducados a una mochacha. Condición tiene de ángel, y hubo gran señor que la tuvo dos meses en su cámara y sepa que es la mayor embaidera que nació, que come esturión y siempre le abre al que más paga y no miento en lo que vos digo".

Y ¡qué saludadora era! ¡Ni el mal napolitano se le resistía! Esa vez, en la casa de la Cortesana, el Canónigo le dijo: "Señora Lozana, ¿qué quiere que haga? Que ha veinte días que estoy por cortármelo, tanto me duele cuando orino y el médico yo creo que al fin me lo cortará". Y ella, tan amable siempre: "Mi señor, prométeme no dárselo a los médicos y déjame hacer a mí que con halagos y caricias y untándole pomada de populión os lo curo''. Y así fue: a los cinco días el monseñor lo tenía sano y hermoso y podía volver a celebrar con la misma unción de siempre. Y a la Cortesana que le dijo: ''Y a mí, para la madre, ¿qué remedio me dáis?, ella la hizo sahumarse con humo de lana de cabrón y ponerse en el ombligo semilla de ruda molida y beber vino con nuez moscada y la sanó, tan simple como suena: la Cortesana, además, quedó nuevamente virgen en cinco días. Y es por eso que el Despensero hizo esa especie de resumen de toda esta tan brillante carrera, explicando que la señora Lozana fue la caritativa que con esponjitas de sangre de pichón aseguraba el éxito de las ''prima noctis'' y la felicidad de muchos matrimonios y añadiendo que aquello ocurrió ''en tiempos del gran papa Alejandro VI, cuando Roma triunfaba y había más putas en ella que frailes en Venecia, filósofos en Grecia, médicos en Florencia, cirujanos en Francia, maravedís en España, estufas en Alemania, tiranos en Italia y soldados en campaña''.

Sabiendo todo esto, ¿quién puede extrañarse que así ya no los Julios sino los ducados viniesen suavemente a sus manos? Y véase que ella no había ido a ninguna facultad, ni en Salamanca ni en Heidelberg ni recibido clases de ningún protomédico: ella había aprendido de por sí, y de por sí curaba, y de por sí hacía la felicidad de los prójimos, y todo por precios módicos y generosos, y se explicaba diciendo que el Avicena fue de su tierra y que el dar melecinas le venía en la sangre, y no se asustó nunca, ni aun el día en que parió la mula en casa del Cardenal.

Pero hasta con ella hubo de meterse el tiempo, y la fue gastando y a medida que el espejo le decía las crueles verdades, poco a poco la protagonista de toda fiesta y la reina del alboroto se fue convirtiendo en sabia dueña de consulta y entonces supo que los días del frío habían llegado y cuando fue al astrólogo le oyó decir que uno de los dos, ella o Rampín, había de ir al Paraíso, que así lo decía su arismética y entonces Rampín dijo que él no quería ir sin ella al Paraíso, y hasta que eso se resuelva el día de los días, resolvieron irse a la isla de Lípari, porque así no los dejaría Roma, sino que ellos la dejaban a ella, la reina de las ciudades, la meca de las damas y de los bribones, la cuna de los santos y capital de la cristiandad y así fue y el día primero de diciembre del año de mil quinientos y veinte y cuatro se fue ya nada lozana la Lozana, pero como su raza es inextinguible, al partirse ella más de cuatro lozanas, todas mozas, todas españolas estaban ya en Roma, ciudad cuyo nombre es la palabra más mágica de todas porque volteada quiere decir (y dice) amor. Y así, sin ofender a nuestro Criador, la Lozana se fue diciendo algo en latín, que claro está no se le entendió, pero que no sorprendió a nadie, pues hasta por letrada la tenían.

RETRATO DE LA PICARA JUSTINA

El licenciado Francisco López de Ubeda, que según algunos autores era natural de Toledo y según otros, de Madrid y que, ya viejo, se hizo dominico, la conocía muy bien y fue quien supo e hizo públicas las intenciones que la moza tenía y que no eran otras que las de casarse con el pícaro Guzmán de Alfarache, formando la más donosa pareja que sea posible imaginar. Y como bien la conocía, dejó dicho que era una mujer de raro ingenio, feliz memoria, amorosa y risueña, de buen cuerpo, talle y brío, ojos zarcos, pelinegra, nariz aguileña y color moreno. Añadió que la moza era de conversación suave, única en poner apodos y dada a leer libros de romance, por lo menos los que le prestó un huésped humanista que tuvo su padre en el mesón del cual era mesonero.

Pero su más donoso retrato fue el que ella mismo se hizo, al uso de los grandes pintores, que se pintan a sí mismos mirándose al espejo. El autorretrato lo hizo en una carta que le escribió a su novio el de Alfarache, con quien nunca se celebró el casamiento. Allí le dijo ser ella la melindrosa escribana, la honrosa pelona, la manchega al uso, la engulle fisgas, la que contrafisga, la fiesguera, la festiva, la de aires bola, la mesonera astuta, la ojienjuta, la celeminera, la bailona, la espabilagordos, la del adufe, la del rebenque, la carretera, la entretenedora, la aldeana de las burlas, la del amapola, la escalfa fulleros, la adivinadora, la despierta dormida, la trueca burras, la envergonzante, la romera pleitista, la del engaño meloso, la mirona, la bertolina, la vizmadera, la esquilmona, la desfantasmadora, la desorejadora, la de los coritos, la deshermanada, la marquesa de las Motas, la nieta pegadiza, la heredera inserta, la devota maridable, la busca Roldanes, la ahidalgada, la alojada, la abortona, la bien celada, la del parlamento, la del mogollón, la amistadera, la santiguadera, la depositaria, la falsa gitana, la palatina, la lloradora enjuta, la del pésame-y-río, la falsa viuda con chirimías, la del tornero, la del disciplinante, la paseada, la enseña niñas, la maldice viejas, la del gato, la respondona, la desmayadiza, la dorada, la honruda, la estratagemera, la del serpentón, la del trasgo, la conjuradora, la mata viejos, la barqueada, la loca vengativa, la astorgana, la despachadora, la santiaguesa, la burgalesa, la salmantina, la papelista, la escusa barajas, la castañera, la novia de mi señor don Pícaro Guzmán de Alfarache... Ya lo dijo el licenciado Ubeda: la pícara Justina era "única en poner apodos": ¡setenta y ocho se puso ella misma para lucirse ante su novio!

¿Dónde nació este portento? ¿Cómo fue el grandioso acontecimiento? ¿Se conmovieron los elementos, aullaron los canes, galoparon caballos salvajes, tembló la dura tierra? No lo sabemos. Ella nunca lo dijo muy claro y el de Ubeda menos, perdido en los vagos cerros de su apellido. La pícara apenas nos susurró que vino al mundo "el año de las nacidas, que fue bisiesto, a los seis de agosto, en el signo de Virgo, a las seis de la Boba allá". Y que no le gustó la manera cómo nació, de un solo golpe. He aquí sus palabras tan innecesarias como inesperadas: "¿Ya soy nacida? ¡Ox, que hace frío! Tapagija, que me verán nacer desnuda. Tórnome al vientre de mi seora madre, que no quiero que mi nacimiento sea de golpe, como armadura de loba; más vale salir de dos golpes, como voto a Dios de carretera manchega".

Cuando se peleó con el licenciado Perlícaro, otro pícaro de consulta, que a sí mismo se describe como "ortógrafo, músico, perspectivo, matemático, arismético, geómetra, astrónomo, gramático, poeta, retórico, dialéctico, físico, médico, flebótomo, notomista, metafísico y teólogo", este ser sin segundo le dijo: "Señora suputante, la que fue nacida el año del moquero, en el mes gatuno, yo que a buen tiempo llegué y vine a punto en que la ví nacer, siempre me pregunté cómo no gritó su madre, pariendo una hija tan grande". Y luego se lo explicó, por ser la pícara hija la tercera y estar su madre ya a parir acostumbrada.

Si indagamos por sus padres, el propio Perlícaro informa, como siempre insidioso e insuficiente, que "la melindrosa escribana" se olvida de los mejores dos tercios de su historia; lo primero, el abolengo de su padre, "cuyos abuelos son tan conocidos que nadie lo puede ignorar", porque en la picardía también hay gente ilustre, como todos lo sabemos; y lo segundo, "por qué no alegró la fiesta con la cascabeleadora presencia de los abuelos por parte de madre". Y en seguida se admira y califica de portento el que Justina haya logrado callar los nueve meses que "anduvo" en el vientre de su madre, "que en el cuerpo fue ballena y en el alma Celestina". Al respecto, Justina sólo nos dijo que era "hija de agrio y nieta de dulce".

Pero ya puesta en derechura nos dio, sí, suficiente matraca con su tal abolengo y nos ofreció describirlo conforme realmente era porque... "No soy tan hereja ni tan necia. Pregunto: ¿de qué les sirvió a las palomas el honrarlas los poetas, con decir que son abuelas de Eneas y madres o hijas de Venus? Por ventura, ¿por eso túvoles más respeto el pan en que las empanan o el asador en que las asan? ¿Pues de qué le sirve a la pícara hacerse Marquesa del Gasto, si luego han de ver que en realidad soy Marquesa de Trapisonda y de la Piojera y Condesa de Gitanos?"

Y nos ilustró abundantemente sobre el origen verdadero de los nombres que orgullosamente lleva la gente que se dice grande: "Yo confieso en que este es un tiempo en que el zapatero, porque tiene calidad, se llama Zapata, y el pastelero gordo, Godo. El que se enriqueció, Enríquez y el que es más rico, Manrique. El ladrón al que le lució lo que hurtó, Hurtado. El que adquirió hacienda con trampas y mentiras, Mendoza. El sastre, que a puro hurtar girones, fue Marqués de Girón. El herrador aparroquiado, Herrera. El próspero ganadero de ovejas y de cabras, Cabrera. El vaquero, rico de cabezas irracionales y pobre de la racional, Cabeza de Vaca. Y el caudaloso morisco, Mora. Y el que acuña más monedas, Acuña. Quien goza del dinero, Guzmán". Y nos dice que ella no está en este mundo para "engualdrapar las verdades".

Y de todo eso, viene su revelación de que "nació en un pueblo que llaman Castillo de Luna" y que su madre era natural de Zea, junto a Sahagún, "una villa que parece molde de alforjas". Y siendo así, "la pícara Justina, de parte de padre, es lunática y siendo de Zea su madre, a pesar de sus caderas, es ciática". La llamaron Justina porque "había de mantener la justa de la picardía" y su apellido (que recién este instante lo sabemos) fue Diez, "porque soy la décima esencia de todos ellos".

Justina, "la nieta pegadiza", por no embrollar su genealogía y conservar claro su abolengo, comienza el largo y tedioso recontar sus bisabuelos y abuelos y de ello baste saber que, por su padre, le tocó un abuelo cuyo oficio era el de hacer barquillos y como en su tiempo los llamaban "suplicaciones", ella fue por algunos conocida como la "suplicacionera", aun cuando ese bravo manchego vivió de pelar criados y mayordomos a la baraja y afeitar barbudos, que es más o menos lo mismo. Era un hombre barrigudo y pesado y se murió de indigestión, pero ello no se recuerde, sino cuán alegrón era: almorzaba con guitarra y estaba loco por las comedias. "Colegirás por ello —dice la Justina— que soy moza alegre y que me retoza la risa en los dientes y el corazón en los hijares y que soy moza de las de castañeta y aires como la guinda". Y está bien y que te dure.

Pero dejemos a los abuelos, que de tiempo antiguo son y ya no nos cuadran. Vayamos tocante a lo tocante y como cantan aún, sepamos que "los padres de la pícara Justina — que fueron en Mansilla mesoneros", como a hija de mesonero la criaron. El mesonero es el testigo del caminante, el mesonero es como la tierra y el pasajero es como el río. El mesón es como la boca y el pasajero es como la comida. Y a la hija del mesonero el cuerpo se le va modelando de tanto como los pasajeros le pasan la mano. ¡Oh mesón, mesón! La hija del mesonero, la pícara te cantó así: "Eres esponja de bienes, prueba de magnánimos, escuela de discretos, universidad del mundo, margen de los ríos, purgatorio de bolsas, cueva encantada, espuela de caminantes, desquiladero apacible y vendimia dulce". Y allí fue donde a ella se le maduró su alma, animita saltadera, trotadera, brincadera, bailadera, que parecía un azogue... Y se pudo decir de ella:

En Justina,
de gusto y libertad hay una mina.
Y, además, esto, tan estruendoso:
La fama con sonora y clara trompa
publique por Princesa de la Trampa
la gran Justina Diez.

O sea, la moza del mesón: esa es la conclusión y la moza del mesón fue a donde fue. La moza del mesón que es en andar, gonce; en pedir, pobre; de día, borrega; de noche, mega; en prometer, larga; en cumplir, manca; antes de mesa, perrilla; después de mesa, grifa; en enredos, hilo portugués; al fallo, puerco montés y lo empeñado todo lo vendido; una alforja de bailar y otra de trabajar; en la bolsa, munición y en la cara siempre unción: cumplir con todos, amistad con los más bobos; lo pagado, pase y lo rogado, no vale. De ordinario, alegría y siempre tapagija. Y aires volan y a Dios que es esquila, y que con decir: "¡Ay, que viene mamá!" y rascar la cofia, se avientan los nublados y la moza del mesón no debe más.

Y fue así que una vez entre mil Justina —y esto la pinta entera— puso a prueba un principio de conducta que había oído de su madre la mesonera y que decía a la letra: "La vergüenza en la doncella enfrena el fuego y aumenta la centella". Y aun cuando eso de doncella era un poco exagerado en vista de que ese término nunca casa parejo en moza de mesón, un día de Pascua vio un hermoso pasajero que parecía un palomo de adobo, una hermosura y que llevaba colgado de una robusta cadena un Crucifijo de oro que despertó de golpe toda su vocación. Y se puso retozona y remolona y le pintó entero el viso de una doncella a la que el fuego se le enfrenaba en la vergüenza y se le aumentaba en la gana la centella. Y cuando el mozo le habló ella se puso como la grana y le dijo: "Yo beso las manos de usted" y se lo dijo con tal mesura que cuadróle tanto su virginal vergüenza, y comenzó a decir, ya caído en la trampa: "¿Qué mujer es ésta? ¿Qué vergüenza? ¿Qué agrado? Malhaya si yo no diera por una mujer como ésta cuanto tengo. Así han de buscar los hombres a las mujeres, para casarse con ellas son estas vergonzosas, encongidas, temerosas, compuestas, que todo ello es esmalte sobre oro". Y la pícara confiesa: "Harto fue oyendo esto no saltar como la gata de Venus: mas como era aquel el punto de la caza, para no espantarla mandé al corazón que se metiese dentro y a los párpados que bajaran la cortina hasta el tocarse las pestañas". Y el pobre (de espíritu) pero lindo pasajero siguió diciendo: "Estas quieren de veras: estas son fieles: estas obedecen: estas regalan: estas entretienen: esta es la hermosura que se ha de preciar: esta es la hermosura que se ha de amar: esta es la dote que han de buscar los hombres: esta es la dicha y la suma felicidad". Y mientras esto oía, a ella, la pícara vergonzosa se le encendía el rubí de su vergüenza y se cubría de una hermosa púrpura cada vez que la alabanza subía hasta rascarles la panza a las nubes.

Y así fue: la pícara lo quiso de veras: le fue fiel (total esto solamente duró una noche): le obedeció en todo lo que le plugo mandarle: le regaló a manos llenas y a ojos repletos: lo entretuvo tanto que el tiempo se le fue volando: y el lindo pasajero supo cual es la hermosura que se ha de preciar: la lindura que se ha de amar y la dote que le dio fue, claro está, la cadena y el crucifijo y ella no se equivocó: eran de oro, esmalte sobre oro, como él lo dijera. "Y cuando me lo daba, —cuenta la pícara sacrona— yo me hacía la remilgada y cuitándome toda, sonrojada e inquieta, andando el medio caracol y orejeando con las dos manos, yo le dije: ¡Ay, Señor, que no quiero, no quiero nada por lo que le he dado, yo lo que quiero es que lo tase un platero y en buen dinero le daré lo que valga". Y fueron al platero y a pesar que era un fullero (lo cual de nada le valía, pues ella lo conocía desde antiguo y hasta el hueso) lo tasó en tres ducados por el oro y dos más por el esmalte y por la hechura y las perlas tres ducados más. Y entonces ella le dio al lindo pasajero todo lo que él le volvió a pedir, siempre con el rostro encendido por la vergüenza y ya no se habló más del crucifijo ni de la cadena y ella al despedirse le dejó la impresión real y verdadera de que así es la hermosura que se ha de preciar y la lindura que se ha de amar y que para conseguirla, fuente de toda felicidad, un crucifijo de oro con perlas, esmaltes y cadena no es nada.

¡Esto es lo que se llama la jacarandina!

Pero como es así la vida, ella, la espabilagordos, la escalfa fulleros, la despachadora, se dejó encandilar, espabilar, escalpar y despachar por un tal Marcos Méndez, que se decía bachiller y no era sino un fullero burlón de palabras, y en una noche de mesón en la que el diablo se le revolcaba dentro del cuerpo, se dejó burlar de obras, y no solamente le obedeció en todo lo que quiso, y le regaló y entretuvo, sino que le dio para que no la olvide el crucifijo de esmalte sobre oro y su cadena y recién al otro día se dio cuenta de que el hijo de puta era feo como un trasgo y tenía nariz de alquiler, ojo de besugo cocido, pescuezo de tarasca, cuerpo de costal, piernas de rastrillo, pies de mala copla. "Y así, a precio de desvergüenza, en el mesón camino de Mansilla, en noche oscura y en adobo de mimos compró la privación y traspaso jurídico de la más donosa pieza de oro y perlas que yo haya ganado con mi honesto trabajo. ¡Salud y gracia, sépades!"

Y pensándolo y repensándolo se acordó de que
"Un Maximino de Umenos
por ir de menos a más,
quiso, ni poco ni menos,
poseer en mí lo más".

¡Un recuerdo entre tantos! Por regla general, todos los que pasaban por el mesón querían lo mismo. Pero se acordó del primer pretendiente, que era sobrado de amor y buen despejo, mocito espigado, barbiponiente, bermejuelo, pintojo, espadachín, buen talle y llamábase Maximino de Umenos. Probó él aun fruta verde, no la dulce y madura que, además de llevarse el crucifijo, hizo relamerse al bachiller Marcos Méndez, maldita sea su madre.

Pero todo eso pasó porque el hombre es fuego y la mujer estopa y viene el diablo y sopla. Y es por eso que los sabios, tomando en cuenta la bajeza propia de la mujer cuando se priva, la llamaron tierra.

Sin embargo, teniendo en cuenta que las mujeres, para ser "varonesas" deben buscar varón, y varón permanente, la melindrosa Justina tiró al mar su programa de casarse con el pícaro Guzmán de Alfarache, espejo de la picardía, y se casó con un hombre de armas... "y si quieres saber como fue, no digo más sino que me miró y miréle y levantóse una miradera de todos los diablos... y le hablé y le hablé, pero cuando él ya me quiso nunca volví a tener palabras". Así fue y el hombre se llamaba Lozano y lo era y "jugaba conmigo toda la noche".

Y para que este retrato termine y se sepa sin lugar a errar todo lo que importa de la despierta dormida, la mirona, oigámosle a ella misma cómo era el "varón" que la hizo "varonesa" cuando ya había madurado de mesón en mesón y de romería en romería: "Era mi marido Lozano en el hecho y en el nombre, pariente de algo e hijo de algo —diré sus gracias y sus partes, diré con ellas las tachas, que en fin no hay cosa criada sin chanfaina de malo y bueno, que aunque más digan de un hombre que es como un oro, nunca es oro acrisolado—. Y preciábase tanto de serlo, que nunca escupí sin encontrarme con su hidalguía... y su pobreza era tanta que parecía ser un hidalgo de Vizcaya. Era alto de cuerpo, tanto que le dijeron que antes de entrar a la casa se hiciera un ñudo. Era algo calvo, señal de muy enamorado. Ojos chicos y perspicaces, señal de ingenioso, alegre y sobrino de Venus. Nariz afilada, que es de prudentes: boca chica, con frente rayada, que es indicio de imaginativos. Corto de cuello, que es señal de miserables. Espalda ancha de valiente, pisaba bien, que es señal de celoso. No tenía un céntimo, señal de pícaro. Dos cosas tenía, por la una lo podía apreciar toda mujer de bien: jugaba antes de que el sol naciese y si una estaba en punto de caramelo, jugaba toda la noche. Y otra, por la que podía perderlo todo, si todo era su cónyuge: era muy amigo de pollas. Caséme con él. Pero diráme alguno: Pues ¿cómo, Justina? La tan guardada, la astuta, la que a todos engañaba y nadie a ella, se había de dejar engañar tan a ojos vistos y más en materia de casamiento, ¿qué es ñudo ciego? A esto pudiera yo responder que tarde o temprano alguien nos lleva de la mano. Pero quiero que me lean el alma y en ella un consejo digno de saberse por todos, que ese hombre logró andar por la vereda por donde caminaba mi corazón de mujer y quizá alguien me echará bendiciones entre los muchos que andan por ese camino".

Y así, no la olvidemos, que ella fue la flor de la picardía y hasta ahora por ella suspiran todos los mesones y se pasan la noche en vela aquellos que bien cambian un crucifijo de oro por jugar hasta que amanezca el día.

LOS ENEMIGOS DE LAS DAMAS

EL ARCIPRESTE DE TALAVERA

Introito

Hablar mal de las mujeres y hacerlo con gracia, regocijadamente, como lo quiere Menéndez y Pelayo, es un pasaporte a la inmortalidad, nada menos. Así resulta en el notorio caso de don Alfonso Martínez de Toledo, un clérigo que nació en la que más tarde sería la ciudad del Greco y que llegó a ser Arcipreste de Talavera y capellán de don Juan II, el rey de los poetas.

Don Alfonso (1398-1470) perdió el tiempo escribiendo una historia de los reyes de España, desde los godos hasta don Enrique III de Castilla, el padre de don Juan II, a la que nombró "Atalaya de las Crónicas": al parecer, nadie la leyó e inédita sigue hasta hoy. Lo perdió también escribiendo sucesivamente las vidas de San Ildefonso y San Isidoro: pasó lo mismo: no fueron leídas, inéditas yacen, ya tantos siglos. Pero un día recibió la iluminación que tarde o temprano recibe el buen escritor y produjo una "reprobación del amor mundano", de aquel delicioso, pecaminoso amor que su par el Arcipreste de Hita llamó "loco amor".

Este fue el libro del acierto, que su autor no llegó a titular y al cual la gente, que gustó de él con delicia, llamó "El Corvacho", pensando sin duda (y sin errar) que su autor estaba muy cerca de ser el Bocaccio español, y al cual los editores subtitularon "Tratado de los vicios y tachas e malas condiciones de las perversas mujeres", descripción exacta de lo que realmente es: el donoso y desenfadado clérigo, ejemplar excepcional de ese coro de tonsurados sin frenos en la lengua, dotados de la gracia caudalosa del pícaro literario español, que cuenta en sus filas a don Juan Ruiz, el Arcipreste de Hita, digno de ser el obispo de esta diócesis de la maledicencia, y a don Francisco Delicado, el padre de la Lozana Andaluza, y a don Francisco López de Ubeda, el que trajo al mundo a la pícara Justina y que al final se consolidaron con seglares igualmente donosos, en la singular ralea de la picaresca y, sobre todo, tras los entremeses y las ejemplares, de don Miguel de Cervantes, el autor del que es el libro de los libros para quienes hablamos la maravillosa lengua en la que viven el buen caballero don Quijote de la Mancha y su sabio escudero Sancho Panza.

Y es que los hombres, que consideramos a las mujeres las rosas de la vida y sin ellas no sabemos vivir, y les consagramos la flor viviente de la pluma, la luz delicada de la inspiración, la suave y escandida poesía lírica, y la espuma de nuestra chequera, a veces sentimos la necesidad ineludible de hablar mal de ellas, porque como otras cosas casi igualmente buenas, tal el vino, el tabaco, la rica mesa o el juego, se nos vuelven excesivas y tiránicas y de placer y delicia se tornan vicio, cadena, delirio y suplicio, en este caso a causa de las pegajosas, de las sacronas, de las insaciables, de las ahítas, de las que tienen vacía la linda cabeza, de las entrometidas, de las fisgonas, de las que tienen alma de suegra, de las espionas, de las golosas, de las piponas y de las que demasiado pronto se convierten en beatas o en avestruces. Y es por eso que el buen hablar mal de las mujeres, o sea el denigrarlas con justicia y con arte, con gracia y salero y, a lo andaluz, con mucho tronío, es seguro pasaporte para saltar el muro del olvido y entrar en la inmortalidad como Pedro entra por su casa.

El libro, cuando el Arcipreste lo comenzó, quería ser imparcial o sea fustigar por igual a hombres y mujeres, pero cierta carga que sobre el alma del escritor pesaba lo convirtió insensiblemente en una sarta de invectivas contra las "donas" y "compite —tal cual lo dice Jaime Fitz Maurice Kelly, ese raro inglés que amaba a

España— con el Arcipreste de Hita en la agudeza y malicia de la invención, en lo maligno de las parodias, en la procacidad de las intenciones, y es harto más rico en sarcasmos, adagios y proverbios: la opulencia de su atrabiliario talento suministró por lo menos un capítulo a "La Celestina" y aun hoy día, a pesar de su ciego furor, de sus prejuicios, de su dicción a veces embrollada, de su vocabulario extrañamente alambicado, la mortificante sátira de este extraordinario enemigo de las damas despierta nuestra curiosidad". La despierta y luego se apodera de nosotros y termina siendo nuestra escogida, preferida y muy rica lectura.

Sus páginas, además de vengarnos, divertirnos y consolarnos, nos levantan dos cuestiones: la primera, el cómo llegó el Arcipreste a conocerlas y a saber tanto de ellas y la segunda, cómo pudo llegar a odiarlas tanto. Estas cuestiones, claro está, no podemos resolverlas ni en principio ni en definitiva, sólo nos cabe aventurar suposiciones, intuiciones y sobre todo malos pensamientos. Teniéndolos, por el general se acierta, en especial tratándose de alguien tan exquisitamente maligno, tan entreverado, tan retorcido, tan de atravesados ojos... y no se olvide que hay espíritus contradictorios, tan con el eje en sesgo, que calumnian, envilecen y hunden en el fango a lo que más aman.

Sin miedo: libro adentro

Nos dice el Arcipreste:
"Pues amigo, abre los ojos, mira y ve cuantos daños de amar locamente provienen... ¡Ay del triste que debe pasar por tan crueles penas! Mira bien el efecto que el loco amor procura, los daños que se trae, mira bien; y mira bien por quien nos condenamos, que cosa son las mujeres, que provecho traen, que condiciones tienen para amar y ser amadas y por fin, qué razón hay para que el hombre las deba bien querer..."

Y por si quede en nosotros algún escrúpulo, nos adoctrina:
"Non es pecado, sino virtud, decir las tachas y malas condiciones de las perversas mujeres y por ende digo que por avaricia las tales los peores males cometen..."

El Arcipreste realiza su requisitoria contra las damas, su denuncia de "los vicios y tachas e malas condiciones de las perversas mujeres" dentro de un esquema constante: dedica a cada vicio o pecado un capítulo que comienza con una briosa acusación, de las que no dejan escape: sigue la relación de "ejemplos", que sirven de irrecusable prueba y termina con una breve y no tergiversable sentencia condenatoria.

Siendo sabrosas y divertidas las acusaciones y sentencias, como se lo verá, lo verdaderamente delicioso es el leer los "ejemplos", que equivalen, en absoluto plan de igualdad, a los cuentos del Decamerón o de Canterbury. Están relatados con gracia y donosura y aun singular osadía, habida cuenta de que su autor es un clérigo y de alta categoría, nada menos que un Arcipreste, capellán del Rey: no se arredra ante cada mayúscula pillería si de ella de sacar una moraleja. Y es el conjunto de estos "ejemplos" su pasaporte para entrar de lleno en la picaresca castellana, donde tiene un sitio inamovible, así no se lo reconozca don Julián Marías.

El primero, avaricia

Cuando el Arcipreste comienza su pliego de acusación contra las damas y las declara convictas de avaricia, usa esta palabra en un significado doble: codicia de lograr y resistencia total a gastar o ceder lo logrado, y me parece que nos encontramos ante una más amplia y correcta comprensión del término. Presenta para probarlo múltiples casos, en los cuales damas de alto linaje y mujercillas de barrio bajo por igual pecan mortalmente por la codicia de adquirir y por la resolución de jamás consentir que se les escape lo adquirido. "Pues no te maravilles si con dádivas fizieren los hombres a las firmes caer y de sus honras a menos venir, que no guarda el don paraje, linaje nin peaje, todo a su voluntad lo trastorna". Y por cuanto "la mujer piensa que no hay otro bien en el mundo sino haber, tener y guardar e poseer", se puede bien decir que "no es mujer si no es avara en dar, franca en pedir e demandar, industriosa en retener e bien guardar, cavilosa en la mano alargar, temerosa en mucho emprestar, abundosa en cualquier cosa tomar, generosa en lo ajeno dar, pomposa en se arreglar, vanagloriosa en fablar, acuciosa en vedar, rigurosa en mandar, presuntuosa en alardear e muy presta en ejecutar''.

El segundo, calumnia

La acusación es total: "La mujer es murmurante e detractora, regla general es ello, que si con mil fabla, de mil fabla, cual es su estado, como es su vida, cual es su manera. El callar, para ella es muerte. No puede una sola hora estar sin propasarse sobre buenos y malos". Abunda en deliciosos y malvados ejemplos, regalo del lector, convincentes y suficientes. Y da a base de ellos su veredicto final: Vicio es común en las mujeres "de las otras murmurar, traer y mal fablar y quejarse que fazer otra cosa imposible les sería''.

El tercero, codicia

La acusación asombra por su violencia y por no admitir excepciones: "Ser la mujer tomadora, usurpadora, a diestro y siniestro, poner ello en duda sería gran pecado, por cuanto la mujer non solamente a los estraños e non conoscidos, mas aún a sus parientes e amigos, cuanto puede tomar y arrebatar e apañar, tanto por obra pone sin miedo nin vergüenza''. La acusación es tal que llega a afirmar que cometemos gran pecado si decimos que hemos conocido una mujer noblemente desinteresada. La experiencia de confesor —¿solamente de confesor?— le hace no admitirla: ni su propia madre ni las santas consagradas ni una sola mujer escapa a la acusación de codicia. Los ejemplos, como siempre, sabrosos y malvadamente escogidos, se dirigen a borrar de la mente del lector la posibilidad de que haya una excepción, una sola.

Asombrosamente, el prelado pasa a hacer el escrutinio o corte y tanteo del cofre de las damas, para probar su acusación: En esos cofres no hallarás "horas de Santa María, nin los Siete Salmos, nin estorias de santos, nin salterios en romance, nin verle el ojo; pero canciones, dezires, coplas, cartas de los enamorados e muchas otras locuras, esto si; cuentas, collares, aljófar enfilado,

cadenas de oro, corales, sartas de piedras preciosas o casi, cabe-
lleras, azerufes, rollos de cabellos para la cabeza e, además, aceites de pepitas para suavizar y aclarar las manos, almisque, algalia
para cejas y sobacos, ámbar confeccionado para los baños y para
suavizar las carnes cinamono, clavos de girofre para la boca". La
pregunta de la boca se cae sola: ¿dónde Su Reverencia hurgó el
cofre de una dama? Convenía que el Obispo lo someta a un
interrogatorio detenido... Y tras semejante prueba, héte aquí la
sentencia: "Por donde se concluye que la mujer a diestro y siniestro toma, venga de donde venga, general regla es ello, non curando si complazen a Dios o lo ofenden".

El cuarto, envidia

Como siempre, la acusación es cerrada y terrible: "Ser envi-
diosa la mujer es general en su género, dudar de ello sería pecar
contra el Espíritu Santo, por quanto toda mujer, quandoquier que
ve otra de suyo más fermosa, de envidia se quiere morir. E desta
regla non saco madre nin fija, nin hermana, nin prima, nin pariente, de pura melancolía muérdense los rizos y la una contra la otra
murmura como mochuelo". Tampoco tenemos aquí la posibilidad
de alegar excepciones ni conceder a las acusadas el beneficio de la
duda, pues si lo hacemos pecaríamos contra el Espíritu Santo,
gravísimo pecado cuyo perdón está reservado a los Obispos.
Nunca el Arcipreste estuvo más feliz y delicioso que ahora: las
habladurías de las feas y de las ordinarias, rebajando a las lindas,
son, en su fabla, *bocatto di cardenali* y maligno placer es leerlas
saboreándolas. Y luego, la sentencia: "Pues concluir podemos
que sólo la envidia lleva a decir, fablar y detractar a las que son
más fermosas o mejor visten, pues *odi, vide et tachi, sy voy vivere
yn pachi*".

El quinto, inconstancia

Extrema ahora su agudeza el Reverendísimo señor Arcipreste acu-
sador. "La mujer en sus fechos e dichos non es firme nin constante,

por cuanto es como cera, muy blanda para recibir nuevas formas, si en ellas son imprimidas... Hoy te dirá uno la mujer; a cabo de hora, otro; al uno ya fabel, al otro alfilel; al uno da del ojo, al otro por antojo; al uno da del pie, al otro da de codo, al otro aprieta la mano y tuerce el rostro. Sabe fazer del ojo... mirando burla al hombre, mirando se mofa del hombre, mirando halaga al hombre, mirando enamora al hombre, mirando muestra saña, mirando muestra ira echando aquellos ojos del través". Y en seguida acusa con razones que nos recuerdan que "la dona e mobile/qual piuma al vento": "su entendimiento anda como señal que muestra los vientos: a las vezes es levante, otras vezes a poniente, otra vez a mediodía, quando quiere a trasmontana". ¡La veleta, el símbolo eterno de la mujer coqueta, pesadilla del hombre! "De prometimiento de fembra no fíes, sino de tu bolsa", ese es el consejo del Arcipreste y en los ejemplos lo prueba con larqueza. ¿Del confesonario venía tanta sapiencia y tanta saña? Su sentencia, como es lógico, no admite atenuantes: "Así, en conclusión, en dar flaca es la mujer y rica en prometer: no hay duda que ella es toda variable. Yo te ruego que no te dejes tomar de quien promete y no tiene vergüenza en revocar".

El sexto, doblez

"La mujer —acusa el Arcipreste— es un ser de dos caras y cuchillo de dos filos, no hay duda de ello, porque todos los días vemos que uno dize por la boca y otro tiene el corazón". No nos prohíbe, esta vez, tomar la defensa de las inculpadas, pero nos desanima cuando nos prueba que la mujer jamás confía a nadie, ni al que se cree ser amo y señor de su voluntad, los secretos que "en el rincón de su corazón guarda y retiene y no descubre para no ser señoreada, si otro lo sabe". Y es que ella presiente que al confiar a otro su secreto, de ella lo hace dueño y en la base de su conducta está el no aceptar nunca, de verdad, un amo, pero sí hacérselo creer al hombre vanidoso, del cual ella sí se convierte en ama y señora. Y en esto reside la esencial doblez de la mujer, su condición de diosa de dos caras y cuchillo de dos filos y su innata e incurable incapacidad de amar a otro ser que no sea ella misma.

Como siempre, el piadoso Arcipreste abunda en donosos ejemplos y sentencia luego: "Siempre tienen una (verdad) en el corazón y una (falsedad) en la lengua, que la mujer es ser doble de corazón". ·

El séptimo, desobediencia

Dice el Arcipreste que "la mujer es desobediente: de ello no hay duda: si le mandares algo, está seguro que por el contrario todo lo ha de fazer". Y cita la autoridad de Tolomeo, que en su tiempo dijo: "Si a la mujer les es mandado cosa vedada, ella tará cosa negada". Pero no sólo es desobediente, sino también porfiada y goza en contradecir y con sus porfías mala vida dan al marido y mal lo hacen quedar ante los amigos y parientes. Este vicio le parece tan evidente, que da pocos, pero convincentes ejemplos y concluye que "ser la mujer porfiada e desobediente e querer lo contrario siempre fue fazer y dezir": todo en el mundo lo demuestra y no hay profilaxia más adecuada para curarla que una buena estaca. Esta recomienda se hace a padres y maridos.

El octavo, soberbia

Oigan ustedes a su Reverencia: "En la mujer ser soberbia es regla común": a corta afirmación tiene para él valor de axioma y no admite demostración en contrario y, desde luego, tampoco admite excepción: si alguna dama se nos muestra humilde es doblemente pecadora y peligrosa, porque a la soberbia une la hipocresía. No se debe aceptar la posibilidad de que en el mundo exista una mujer humilde: no es cosa de naturaleza, monstruo horrendo sería, si la observamos veremos como a veces, por instantes, se le resbala la piel de oveja de la humildad y aparece el pelo de lobo de la soberbia. Y para volverse indiscutible se arrima a autoridades que nadie osa contradecir, como Tolomeo el sabidor, que oportunamente dijo: "Soberbia e orgullo syguen la fermosura; la que es fermosa y de gran cuerpo es de gran orgullo e soberbia acompañada". Pero no solamente lo es la fermosa y de gran cuerpo, que el espejo les miente y así la pecosa y dientona, de cuerpo desmedrado, igual es en orgullo y soberbia, como a todos consta. Por eso dice el sabio (y no dice quién es el sabio): "Disforme hace a las bellas la soberbia", la soberbia las lanza de sí y las anula y hace que todas sus virtudes juntas nada valgan.

El noveno, vanidad

"La mujer —son palabras del señor Arcipreste— es vanagloriosa y se precia de arreos y fermosura y cree todos los loores que le sean dichos aunque verdaderos no sean". Y las justifica, pues la mácula de la vanidad les viene de "nuestra madre": esa nuestra madre es Eva, la del paraíso nada menos. Al respecto expone la teoría de que el árbol aquel no era ni del bien, ni del mal ni del conocimiento, sino un árbol como todos los otros y ni más valioso ni menos que los otros y la serpiente astuta se lo hizo creer a Eva, la intonsa, halagándole la vanidad. "Ella creyó a la serpiente, el Diablo Satanás, que le vino a engañar" y la primera mujer cayó en ello "por su fragilidad de entendimiento" y su gran vanidad y da a entender que a esta primera madre han salido todas las mujeres, en lo que toca al entendimiento y a la vanidad, convicción de la que hace gala a lo largo de toda la guerra que les mueve, sin que acepte tales fallas, diríamos, de fábrica como atenuantes de sus grandes vicios. Dice que la vanagloria las hace que por ser loadas, deseadas, fabladas, no hay mujer que no se finja de noble linaje y no alardee de sangre muy limpia. Y se maravilla de que todas estas falsas presunciones las tengan en su propia tierra, "donde son conoscidas". La vanagloria es locura grande, común al sexo, sin remedio posible. La mujer, así con dote como sin él, de vanidad sí que está bien dotada.

Termina aquí la matraca que el Arcipreste les da a las damas. Si la condensamos, veremos que la lista de siete pecados capitales sigue vigente para los hombres, pero que para las mujeres ha crecido a nueve y son: avaricia, calumnia, codicia, envidia, inconstancia, doblez, desobediencia, soberbia y vanidad. Y de ello hemos de sacar en limpio que en el cielo es posible que haya pocas mujeres, más en el purgatorio, mientras en el infierno abundarán de tal manera que las pailas no darán abasto. Y conste que la acusación es válida, no solamente para el siglo XIV, sino para todos los tiempos: el Arcipreste escribió su requisitoria con ánimo de vigencia perpetua.

No sabemos cuantos pecadores ha redimido el Arcipreste, tampoco conocemos el número de los escarmentados, pero podemos afirmar que en los seiscientos años que su feroz diatriba circula, hay que contar por millares los que la hallaron deliciosa y sin asustarse con ella, se divirtieron y en esos millares las damas nunca han estado ausentes.

MOSEN PEDRO TORRELLAS

"Bien se me alcanza que ser poeta y amante es lance forzoso", decía, con su voz juvenil, nuestro olvidado y finísimo poeta Jacinto de Evia, doscientos años antes de que el dulce y triste Bécquer asegurara que "mientras haya una mujor hermosa - habrá poesía". No son Evia y Bécquer los únicos que han reunido la poesía, la hermosura femenina y el amarla en un solo manojo conceptual. El vulgo piensa que al decir poeta se dice enamorado y de hecho quien dice enamorado dice idólatra de la mujer hermosa. Mucho hay de verdad en esto, pero es también muy cierto que en todas las literaturas hubo y hay poetas que, de completo acuerdo con Aristófanes, detestaron y detestan a las damas y se explayaron en largos poemas donde se muestra cuán falsas, charlatanas, casquivanas, interesadas y golosas son. Uno de esos antagonistas de las hermosas fue Mosén Pedro Torrellas, y a causa de serlo tan decidido parece que vivió pesada y desabridamente parte de su vida, habiendo recibido de don Juan del Enzina poeta grande si los hay y rendido, servidor de las lindas mujeres, algunos tremendos alfilerazos para castigar su osadía...

Ninguna cosa grande es, en verdad, Mosén Pedro entre los poetas del Cancionero de Stúñiga: forma decorosamente entre el montón, no se lo advierte ni por de más ni por de menos, sino únicamente por la fobia que siente hacia las "donas". Sin ser cosa grande, el hecho es que Aragón y Cataluña se lo disputaron, y algunos historiadores tomaron el primer partido habida cuenta de que fue miembro de la Corte del Rey don Alfonso V de Aragón y ayo del Príncipe de Viana, y otros tomaron el segundo, por ser hecho indiscutible el que Mosén Pedro escribía principalmente complantes, esparzas y lahors, formas líricas favoritas de los poetas catalanes. A nosotros, hablando en confianza, se nos da simultáneamente un comino, un pepino y un pito de cual haya sido el verdadero lugar del nacimiento de tan maldiciente lirida, siempre lloroso a causa de sus "follías" (locuras) con las donas.

> Mosén Pedro fue el inventor de aquello de
> la dona e movile
> qual piuma al vento...

y lo dijo en graciosas coplas castellanas, que os entrego para vuestro regalo:

> Vuelven como hoja al viento,
> ponen lo ausente en olvido,
> quieren contentar a ciento
> y es el que más contiento
> más cerca de aborrecido.

Siglos después, el Signore Verdi habría de tomar tan acedas maledicencias líricas para componer la canción que, difamando a las bellas, fue cantada, a grito pelado, por décadas en todos los teatros del mundo, en todas las victrolas, radios y más máquinas productoras de ruidos.

Mosén Pedro es, desde luego, habitante de un tiempo remotísimo, como ya lo habréis advertido por el arcaico cuanto sabrosísimo castellano en que versifica. Vivió, en efecto, entre los años de 1416 y 1453 una corta vida en la cual los desengaños lo persiguieron "como perros de presa", constantes y sañudos, hasta que perdió la fe en las "donas" y los hizo el flaco servicio de escribir la un tiempo famosísima colección de "coplas de las calidades de las donas", más conocida con el título de "Maldezir que fizo de las donas". ¡Qué cosa, amigos!

Lo primero que Mosén Pedro encuentra en las "donas" es su ingratitud: no quieren a quien las quiere y por ellas se sacrifica, son llevadas siempre por mal: devuelven olvido por amor y se entregan a quien las trata mal. Son, en una palabra, "mal llevadas" y quien quiera entrar al sabroso "reparto de sus beneficios", debe tratarlas... ¡palo en mano! Nada hay para ellas tan convincente como una estaca. Oíd al maldiciente:

Siguen a quien las fuye
y fuyen a quien las sigue,
no quieren por ser queridas,
ni galardonan servizios,
mas todas, desconocidas,
por solo temor regidas,
reparten sus beneficios.

Estos pequeños y deliciosos demonios casi nunca piensan: donde ponen los ojos, allá se les va el pensamiento, inconstantes y tornadizas "como la hoja en el viento", volanderas, frívolas,

donde apetecen los ojos,
sin otro conocimiento,
allí va el consentimiento
acompañado de antojos.

Como si este fuese poco, son hipócritas, ¡Oh, cuán hipócritas!, y se las dan de honestas solamente con el hombre que no les gusta:

a quién no han voluntad
muestran que por honestad
contrastan la su porfía...

Mosén Pedro pierde fácilmente la paciencia con las "donas", y así, más adelante, nos dice que son verdaderas lobas, así como me oyen, lobas voraces e implacables, y al mismo tiempo, resbalosas anguilas para quien no mereció de ellas "contentamiento", y en cuanto a hacer pactos y transar negocios, son erizos, más aún, "erizones". Eso es lo que son: os lo dice Mosén Pedro, que las conoce, por haber sido víctima de sus "follías" hasta secársele el alma:

De natura lobas son
ciertamente en escoger,
de anguilas en retener,
en contratar, de erizón.

Y solamente buscan el dinero: la virtud, el buen seso, la bondad, la sabiduría, esos bienes inmateriales y preciosos del ánimo y del espíritu, no les importan un pepino. A las queridas y lindas palomitas lo único que les interesa es la plata. Mosén Pedro lo dice:

> No estiman virtud ni alteza,
> seso, bondad ni saber,
> mas catan avinenteza,
> talla de obrar e franqueza
> do puedan bienes haber.

Son, además, claro está, dobles, insinceras, resbaladizas y viven en continua superchería y comedia y trapisonda:

> con quien riñen en público
> hacen la paz en secreto...

¿Quién podría creerles algo? Hundidas en un lago de disimulos, carantoñas, pillerías, fingimientos, haciéndose las que no quieren lo que están queriendo, mostrando despego y repulsa por lo que las trae de vuelta y media, y dudando de lo que las ha convencido hasta la pared de enfrente:`así pasan las malditas:

> Disimulan l'entender,
> denuestan lo que desean,
> fingen de enojo placer,
> lo que quieren, no querer
> y dudar cuanto más crean.

¡Qué peligrosas fierecillas! Mosén Pedro las ve y no cree lo que ve, y se abisma de tanta trapacería y trapicheo como sacan por el mundo. Así es las muestra en su espejo fiel:

> Son todas, naturalmente,
> malignas y sospechosas,
> mal secretas, mentirosas
> y movibles, ciertamente.

No gustan de quien busca su perfeccionamiento y enmienda, pero se pirran por las adulos y se mueren tanto por los dulces, merengues y golosinas como por las lisonjas, suerte de caramelos que se saborean por los oídos:

Si las queréis enmendar
las habéis por enemigas,
y por muy grandes amigas
si las sabéis lisonjear.
Por gana de ser loadas
cualquier alabanza cogen...

Y se mueren por todo lo que está prohibido, por lo que no debe hacerse, más aún, por lo que no debe ni pensarse:

van a las cosas vedadas...

Mosén Pedro, de vez en cuando, regresa a lo que en las damas más le escandaliza: su fingimiento, su hipocresía, su vivir en comedia perpetua, mostrando lo que no son y escondiendo lo que son. Mosén Pedro se pone frenético al pensar en las pequeñas coquetuelas, siempre queriéndole meter al incauto el gato por la liebre:

Entienden en afeitar,
en gestos por atraer,
saben mentir sin pensar,
reír sin causa y llorar
y embaucadoras ser.

¡Dios mío, no mires mis muchos pecados, y permite que me embauque una pequeña y linda embaucadora, de estas que mienten sin pensar, ríen sin causa y lloran por agradar! Oh, perdone usted: soy tan piadoso, que aprovecho toda oportunidad para orar. La verdad es que Mosén Pedro me ha convencido, pero como es así la naturaleza humana, y como estamos siempre ganosos de ser deliciosamente embaucados, mientras más él me convence de lo bribonas que son, más ganas tengo de servir de materia prima para sus bribonadas...

Mosén Pedro sabe muy bien que es de ese barro del que estamos hechos los hombres él mismo hizo muchas "follías" por las "donas", y por eso no se hace ilusiones. Cuando Caperucita resuelve que ya es tiempo de que se la coma el lobo, va en su busca, y se hace comer, aun cuando el lobo, ahíto o metido a fraile, se resista. Cuando un hombre quiere dejarse embaucar de una "dona", va en su busca y al fin consigue su ración de delicioso engaño. Sabiéndolo, Mosén Pedro da fin a su "maldezir" con esta copla, que reconoce que, en suma, lo que ha hecho no es sino arar en el río:

> Mas del vicio embebecidos
> créense los hombres dellas:
> ¡oh cuitados, decebidos,
> que los más andáis vendidos
> y pasáis sin conocellas!

Sí: esa es, amigos, la dura verdad: todos andamos vendidos por ellas, y ansiamos, de todo corazón, no conocerlas. De nada nos halagaría saber, como lo sabía Mosén Pedro, todas sus trapacerías y chapuzas, de nada, como no sea de amargura, como de nada le sirvió a él, que anduvo vendido por ellas, haciendo por sus baneficios toda clase de "follías" (locuras), hasta que se le secó el corazón, y ya así, teniéndolo en el pecho semejante a un trozo de bacalao seco, pudo escribir sus coplas, sacándolas en cueros al medio de la calle...

Y bien caro que le salió el hacerlo, según cuentan las crónicas. Juan del Enzina y Suero de Rivera lo insultaron a su sabor, con largueza, defendiendo a las lindas con denuedo digno de los altos, esforzados y amadores caballeros que eran. Y Juan de Flores, el autor de la "Historia de Grisel y Mirabella", cuenta en tal obra "la disputa de Torrellas y Bracayda" y cómo las donas se reunieron un día y lo hicieron objeto de la más atroz burla de que haya memoria, castigándolo así por sus maldecires. Una burla tan atroz, que resulta imposible contarla hoy debido a que somos infinitamente más comedidos, más considerados, más corteses y mucho mejor hablados que nuestros chuzabuelos del Siglo XV.

SEMPRONIO EL VILLANO

–Estampa de La Celestina–

Sempronio no es un "elemento" recomendable: criado de Calisto, mejor dicho su guardaespaldas, matón a sueldo, siempre dijo que, en caso de verse obligado a arriesgar su vida por la de su amo, no lo haría. Charlatán, semiletrado como lo eran en Salamanca todos los de su ralea, el matasiete citaba "al Aristóteles, al Bernardo" y planeaba a toda hora, arrastrando tras sí a Pármeno, que era un matón de buena alma, lucrar con las pasiones de su amo, extrayéndole regalos, jubones, capas, bolsas y cadenas y a robarle y murió al asesinar a la madre Celestina, en una vil pelea por intentar obligarla a partir con él y Pármeno la bolsa que la vieja obtuvo de Calisto por albricias del exitoso asalto a la buena pro de Melibea: huyendo de la Santa Hermandad se lanzó desde una alta ventana, lo mismo que su cómplice: cayeron mal, llegaron los corchetes y según la expeditiva práctica de entonces, sin mayores indagaciones y sin perder tiempo los decapitaron. Este mal "elemento", Sempronio el villano, le predicó a Calisto contra las mujeres, de las cuales, sin embargo, era apasionado perseguidor y gozador, cuando, pulsando su laúd, el Romeo español cantaba penas de amor por Melibea y le pidió su ayuda para conseguirla: fue Sempronio quien sugirió buscar a la Celestina y usar de sus artes, lo que se hizo, trayendo pocos placeres y muchos dolores, como es sabido.

Sempronio no es un viejo dómine horrible como Torrellas, ni un preste de pronóstico reservado como el de Talavera: es simplemente un matón, que cree que la mujer es la polilla del bolsillo y apenas vale para el breve deleite de la cama. Es la prefiguración del matón profesional que prostituye a sus coimas y las desprecia y del gangster moderno, tipo Scarface, que usa a las rubias "girlfriends" como pasatiempos y no les concede la calidad de seres humanos. De tan sucia ralea es semilla Sempronio el villano.

Dijo Sempronio que son incontables "los tráfagos, las mentiras, los cambios, la liviandad, las lagrimillas, las alteraciones y las osadías" de las mozas que, a fuer de lindas, se adueñan de la voluntad de los hombres, débiles en la vecindad del deleite, y como Circe, los convierten en cerdos. En tales peligrosas fiercillas todo es disimulaciones, engaños, olvidos, desamores, ingratitudes, mala lengua, inconstancia, falsos testimonios, negaciones, resoluciones absurdas, presunción, vanagloria, falso abatimiento, locura, desdén, soberbia, abyecta sujeción, parlerías, golosina, lujuria y suciedad: a duras penas la cara se lavan, y eso porque es indispensable para darse el afeite y bien impresionar, sus abatimientos son tretas para que el incauto abra la bolsa, la abyecta sujeción se produce ante el machucante que las trata a palos y la soberbia ante el iluso que las trata como a rosas. Como perras se arrastran ante quien las patea y como perras también, muerden la mano que las regala y alimenta. Y para suplicio de quien de ellas desea librarse, cansado de sus demasías, se vuelven pegajosas y no hay remojo que logre despegarlas. Y eso que aún no se ha hablado de su cobardía, de su atrevimiento, de sus hechicerías, sus embaimientos, sus escarnios, su deslenguamiento, sus desvergüenzas y su alcahuetería.

Previno Sempronio a Calisto: bajo sus blancas y delgadas tocas no hay seso alguno, solamente hay el instinto que mueve a la perra. Si hay algún sentimiento bajo sus gorgueras, o es el de la envidia, o es el de la vanidad o es el apetito de llevarse la bolsa del galán. Y el fausto que ostentan es el producto del saqueo del último amante y con él van a la conquista del siguiente. ¡Cuánta suciedad hay bajo esas largas y autorizantes ropas! Es preciso mandarlas bañar antes de autorizarlas a entrar bajo las sábanas.

"¡Qué imperfección, qué albañales debajo de esos templos pintados!", tales son, textuales, sus palabras.

Sempronio concuerda con los Padres de la Iglesia que dijeron, sabios como nunca, que las hembras eran "arma del diablo, cabeza de pecado, destruición del paraíso": en la homilía de Orígenes sobre el Evangelio de S. Marcos se hallan esas palabras: Sempronio debió oírselas al licenciado Fernando de Rojas, el cronista al que debemos la inmortal tragicomedia en la que vive para siempre con su villanía y con su siempre moviente viperina. Igual ocurre con esas frases del Sermón CXXVII de S. Pedro Crisóstomo sobre la degollación del Bautista: "Esta es la mujer, antigua malicia que a Adán echó de los deleites del paraíso: ésta es la que al linaje humano metió en el infierno". Desde luego, tan brava sentencia va también en el sermón que, contra las mujeres, Sempronio predicó a Calisto.

El enamorado es, en cambio, paladín militante de las damas, su defensor a toda hora del día y de la noche. Calisto el enamorado sin rival rearguye al villano: Sempronio no cesa, no aloja, no amaina. Le urge que huya do los engaños de la fémina hermosa y dice que es difícil entender sus acciones: "No tienen modo, no razón, no intención". Es de rigor que comiencen (ya rendidas, ya abandonada su falsa resistencia inicial, pura comedia) por el ofrecimiento de sí mismas. Introducen a sus amantes (por hacer más novela y venderse más caras) por ventanas altas, por claraboyas de sobrado, haciéndolos trepar por peligrosas escalerillas de cable, o los llevan por troneras de sótano haciéndolos arrastrarse por medio de cucarachas y ratas y luego, al hallarlos en la calle, los desconocen: durmieron con ellos y al otro día, ¡nunca los han visto! "Convidan, despiden, llaman, niegan, señalan amor, se pronuncian enemigas, ensáñanse presto, apacíguanse luego no sin haber logrado cadenas, sayas y pañuelos". Así acusa el villano. ¡Quieren que se adivine lo que quieren! Y si no se acierta, patalean. "¡Oh, qué enojo! ¡Oh, qué plaga!, ¡Oh, qué hastío es confluir con ellas más allá del breve tiempo en que son aparejadas a deleite!" El matasiete cree que la mujer solamente vale para el breve deleite de la cama: luego, pagarles y que se vayan. ¡Ah, el putañero y cómo jamás logró una mujer de verdad! ¡Ah, el desgraciado!

Calisto le exige decir cual fue el maestro que le enseñó tan horrible doctrina y el villano contesta que el maestro fueron ellas mismas, porque cuando se entregan pierden la vergüenza y la verdad de sus tretas, de sus estrategias sin velos al hombre muestran, gozándose de sus arteros métodos para someterlo a desdorosa servidumbre. Y es entonces que el Romeo español lanza su contraataque y comienza su elogio de las mujeres que es tan dulce y hermoso como el que hizo el Arcipreste de las "dueñas" pequeñas. Para compensar de tanta injuria a mis lindas lectoras, aquí pongo el suave parlamento del siempre enamorado: "Para hablar de ellas comienzo por los cabellos. ¿Ves las madejas del oro delgado que hilan en Arabia? Más lindos son y no resplandecen menos. Su longura, hasta el asiento postrero de sus pies; después peinados y atados con la cinta de seda, no ha menester para más para enloquecer a los hombres. Los ojos verdes, rasgados; las pestañas, luengas; las cejas, delgadas y alzadas; la nariz, mediana; la boca, pequeña; los dientes, menudos y blancos; los labios, colorados y gordezuelos; los dedos, largos y delgados y en ellos las uñas luengas y coloradas, que parecen rubíes entre perlas. El torno del rostro un poco alargado, no del todo redondo; el pecho, alto; la redondez y forma de las pequeñas tetas, ¿quién te la podría figurar? ¡Que se despereza el hombre cuando la mira! La tez, lisa, lustrosa; la piel de suyo escurece a la nieve. Y la proporción, que nos es dada en un comienzo sólo por el bulto de afuera, es incomparablemente mejor que la que Paris juzgó en las tres diosas".

Y Sempronio, por siempre malvado, tras oír el elogio de las mujeres que hace su amo y que, obviamente es el retrato de Melibea, su amada, a todas extendido, le responde con su boca curtida en la lejía de la indigna experiencia: "Y cuando la hayas logrado y la aborrezcas cuanto ahora la amas, podrás ver, mirándola con otros ojos, libres del engaño en que ahora estás, cómo yo tan sólo te dije la verdad".

ALLA LEJOS

UNA MURALLA EN LA MITAD DEL MAR

Desde la ciudad Eterna, la Roma sagrada y sacrílega del Renacimiento, una voz grave y poderosa se alzó sobre el mundo el día cuatro de mayo de mil cuatrocientos noventa y tres, y dijo: "Yo, Alejandro, Obispo, siervo de los siervos de Dios, por la autoridad del Omnipotente, a nos en San Pedro concedida, y por el Vicariato de Jesucristo, que ejercemos en la tierra..." Y todos los hombres de ese siglo asombrado, que acababan de ver crecer el mundo, supieron que las nuevas islas y tierras-firmes eran de los muy Cristianos Reyes de Castilla y de León y de sus herederos y sucesores por todos los tiempos futuros.

El mundo del Siglo XV acababa, efectivamente, de crecer, y las más grandes maravillas, las que solamente estaban al alcance del sueño alucinado, se hacían reales y tangibles ante los asombrados ojos del hombre, que ya solamente necesitaba una ambición poderosa y un alma capaz de afrontar todos los peligros, para tenerlas aprisionadas en su mano. Guiados por la suprema clemencia del Dios Omnipotente, algunos hombres acababan de lanzarse al mar desconocido, desafiando la fuerza pavorosa de la piedra imán; arrostrando los infinitos monstruos de la fábula que asechaban al ras de las olas; venciendo el temor a la disolución del ser, que estaba, asechando en un vacío inconcebible, tras el muro de aire de la línea equinoccial. Unos capitanes portugueses habían llegado a la India siguiendo las costas del Africa y otros capitanes, esta vez españoles, al mando de un marino misterioso, que no había nacido en parte alguna y que acaso no era sino la voluntad de Dios hecha carne viviente y tensa capacidad realizadora, habían arribado tal vez a la misma India de las Especias, siguiendo la ruta diametralmente opuesta, la ruta del Mar Océano, por la cual nadie, hasta entonces, había navegado. El mundo era, pues, redondo y había crecido.

En aquellas islas y tierras-firmes recién añadidas al reino del hombre blanco, había oro para llenar la bolsa y ancha fama para dorar los cuarteles del escudo familiar, si se tenía, o para hacerlos crecer en los libros de la heráldica, si se era solamente un hombre del estado llano. Y, sobre todo, había almas, cientos, miles, millones acaso, de almas vírgenes y sencillas, racionales, humanas, iguales por un todo a las nuestras, para ganarlas al servicio del Señor Nuestro Salvador y a la Fe Católica y al reino de paz y de justicia de nuestra Santa Religión Cristiana.

Y ahora, ese cuatro de mayo, a un año del prodigioso descubrimiento, la voz suprema del Santo Padre acababa de decir a los hombres que esas tierras eran de sus descubridores, los Reyes Católicos de Castilla y de León, quienes, a través del pavoroso mar desconocido, enviaron en su busca a Cristóbal Colón, el navegante venido del misterio.

. . .

El documento en que Su Santidad dio a los Reyes Católicos el dominio de las nuevas tierras, la Bula del 4 de mayo de 1493, es, dentro del concepto estrictamente legalista, apegado a la letra del derecho escrito, el título constitutivo del dominio de España sobre América, y, por consiguiente, la fuente más antigua del derecho territorial escrito hispanoamericano. No se puede ver sin extrañeza al país descubridor, al que había abierto los caminos, al que poseía los secretos, buscando un título escrito que legitime sus derechos. Pero esta búsqueda tenía sus razones.

España ha sido siempre el país de la "escritura", del documento escrito, y para dar movimiento a la espada que asienta con la sangre el derecho, ha esgrimido primero la hoja de papel con el documento auténtico, en el que está ese derecho escrito y firmado por quien podía hacerlo. Nos preguntaríamos: y, ¿ante quién iba a necesitar España afianzar con documentos escritos ese derecho patente, más claro que la luz del día, que, procediendo de la marcha esforzada y heroica de las carabelas que condujo Colón, estaba existiendo, introvertible, en la presencia increíble de esas milagrosas islas y tierras-firmes, nuevas, ricas, misteriosas y apetentes, añadidas al patrimonio del hombre por una acción que, más que de humana, tenía de sobrenatural y de maravillosa?

Había contra quien defender ese derecho, y no estaba de más el tenerlo escrito y firmado por la más augusta mano de la tierra. España tenía frente a sí a todos los pueblos navegantes; tenía frente a sí a todos los hombres de las naciones del mar, que ya no temían, sus olas que sabían que tras la línea del horizonte, navegando hacia occidente, había agua y más agua y más agua, y luego las tierras de maravilla, y que no eran verdaderos ni el cuento de la piedra imán ni el cuento del borde cuadrado de la tierra... Y, entre todos esos pueblos -el inglés, el francés, el holandés- como inmediato rival, el hermano pueblo portugués, que, recogiendo la herencia de Enrique el Navegante -nunca un príncipe tuvo más justo sobrenombre, pues, si bien es verdad que jamás navegó, en cambio estudió y amó el mar y construyó las flotas y formó los marineros y los lanzó a conquistar los mares misteriosos-, había ya llegado a las costas de la India y tenía por delante las doradas islas de la Malasia y recibido, por ello, del Papa Sixto IV la declaración de su derecho a conquistar, poseer y cristianizar las tierras que pudiere descubrir allende el Cabo Bojador.

Sin embargo, cabe una pregunta más. ¿Por qué, era el Sumo Pontífice quien se arrogaba el derecho de otorgar ese título indiscutible de dominio sobre las nuevas tierras? Pero esta pregunta solamente puede formularse con la mente del hombre de esta hora del mundo, que asigna al Jefe de la Catolicidad un poder limitado -empero, aún gigantesco-: el de jerarca máximo de una de las más extendidas entre las muchas religiones que profesan los hombres: la Católica, ni siquiera la Cristiana, ya que Lutero, con sus martillazos en la puerta de la catedral de Wittenberg, terminó de romper para siempre el bloque un día monolítico de la Cristiandad. Pero cuando el Papa alzaba su voz el 4 de mayo de 1493, la Cristiandad era una sola y la Iglesia el único poder que dominaba indiscutido sobre los demás poderes de Europa.

No se debe olvidar que tanto el europeo medieval como el renacentista se sabían ciudadanos de la liga espiritual de los pueblos, y su sentimiento de hombres de una nación cedía ante el de ser un cristiano, un miembro de la Cristiandad, que podía caminar por las tierras de Europa hablando el latín, el esperanto del humanismo, la lengua cristiana, la lengua universal de Erasmo, y que podía encontrar, en medio de las mil confusiones de las nacionalidades en formación, de los nacionalismos comenzando a cuajar, la hermandad de los cristianos unidos en una sola fe inconmovible hasta entonces, con una sola ley, una sola lengua, una sola voluntad común: mantener el reino de Nuestro Salvador y una sola autoridad suprema: la del Pontífice Romano. Así, por última vez, los estados y sus pueblos estuvieron unidos bajo una autoridad capaz de mantener el equilibrio sobre las desigualdades, pasiones, luchas e intrigas, una autoridad no discutida, porque emanaba del Omnipotente Dios y era su diputada en la tierra, y ante cuya palabra se bajaban las testas coronadas y se templaban los orgullos y se frenaba la carrera hacia el poderío por las vías incendiadas de la guerra. Era, pues, la autoridad del Santo Padre una autoridad suficiente. Era la autoridad que podía otorgar la posesión legítima, el indiscutible título del dominio: la autoridad que juzgaba de la justicia de la guerra y de la equidad de la paz.

Fue a esa autoridad a la que los Reyes Católicos recurrieron para obtener una frontera precisa, una muralla sólida que detuviera la ansiosa voluntad de descubrimiento y conquista de los portugueses y la avalancha de voluntades semejantes que la derrota del misterio del mar originaría. Buenos diplomáticos ellos, mejor diplomático aún el hombre notable que ocupaba la silla de San Pedro, convinieron en que la formidable merced de todo un mundo aparecería, no como el resultado de una petición de los monarcas, sino como un acto espontáneo de la voluntad apostólica inspirada por el Omnipotente Dios.

Para que nadie dudase de que era la propia voluntad del Altísimo la expresada en la Bula, Alejandro VI y los Reyes Católicos lo hicieron constar así, con palabras precisas, dichas por aquel a quien nadie podía desmentir.

Ocupaba entonces la silla de San Pedro un hombre de poderosa capacidad de estadista, de pensamiento claro y penetrante y de amplia cultura, como correspondía a un magnate intelectual y político del Renacimiento. Su espíritu estaba abierto a las profundas solicitaciones de esa primavera del espíritu creador; poseía una facultad de acción rápida, audaz y oportuna y no desfallecía ni ante los más graves obstáculos. Poseía, también, esa fiebre de gozar la vida característica de los hombres de su hora. Era todo un hombre de estado, con los defectos y las excelsitudes inherentes a quienes poseen en alto grado las difíciles condiciones que hacen a un hombre jefe y conductor de sus semejantes. Era un príncipe español, nacido en la península y educado en la Italia luminosa del Renacimiento, en la Universidad de Bolonia, a donde lo llevara su tío, el primer papa español, Calixto III: se llamaba don Rodrigo de Borja, Cardenal Arzobispo de Valencia, que subió a la silla apostólica con el nombre de Alejandro VI y que pasó, por una de tantas injusticias aceptadas con categoría de verdades históricas irrebatibles, a la memoria de la posteridad rodeado de un nefando halo de simonía y crimen en lugar de la clara y precisa fama de hombre de estado y de cultura que le correspondía. Sus enemigos forjaron su leyenda negra, edificándola sobre su vida libre de gran príncipe del Renacimiento y esa leyenda, marchando sobre el mórbido espíritu de las gentes, creció, prosperó y se afianzó definitivamente.

Alejandro VI, como hombre de estado, tenía, aparte de su condición de príncipe español —que era ya un poderoso motivo—, otros móviles para hacer la gran merced que hacía a los Reyes Católicos. La monarquía española —española ya, pues Isabel y Fernando, tras el fin de la Reconquista, marcado por la toma de Granada, podían, con todo derecho, llamarse Reyes de

España—, emergía como el máximo poder temporal en la Europa del Siglo XV. Y emergía a este puesto rector de la vida internacional con una ingente tarea que se impuso a sí misma: la de ser la espada de la Iglesia de Cristo, la unificadora material del mundo cristiano, la reconstructora del Imperio bajo la Cruz, la difusora última de la verdadera religión sobre el mundo. Era pues la monarquía española —en vísperas de obtener, con Carlos de Europa, Emperador de Occidente, el más grande poder conocido hasta entonces en la historia— la sostenedora y la propagadora máxima de la Religión de Cristo sobre el mundo. Y, por ende, la protectora nata de la Iglesia, el fuerte brazo que sostendría su autoridad espiritual y temporal, frente al grave peligro de la expansión otomana y frente a toda amenaza que pudiera surgir posteriormente. Y era, además, el único aliado seguro para hacer realidad el sueño de los Borgia: el de unificar Italia en una sola monarquía de la cual su casa sería la reinante, monarquía que debía actuar de respaldo militar y político inmediato de la Iglesia, asegurando a la Santa Sede la independencia de criterio, la tranquilidad y la intangibilidad que precisaba para ejercer con eficacia y dignidad su excelsa tarea de poder regulador de la vida europea —en un tiempo en que, Europa era el mundo.

La espontánea concesión hecha en la Bula tenía, pues, otros motivos además de la necesidad de extender, en las nuevas tierras, la Santa Religión de Nuestro Salvador.

. . .

En sí misma, la Bula del 4 de mayo de 1493 es un documento histórico extraordinario. En primer lugar, porque muestra cuán grande era todavía —en vísperas de explotar la bomba de Lutero en Wittenberg— el "poderío apostólico". En la Bula se ve la altura inmensa que tenía el Pontífice, y se siente el peso de su mano en la dirección de los asuntos internacionales, con una seguridad que ninguna de las Ligas de Naciones surgidas en los últimos tiempos ha tenido. La voz del Jerarca suena inapelable.

Luego, porque muestra, con claridad no igualada, cómo recibieron los hombres del Renacimiento la noticia que les trajo Colón. Y cómo, inmediatamente, el sabio político y, al mismo tiempo, el ágil jefe de la Iglesia, vio, con ojos penetrantes, cuáles eran las tareas del mundo cristiano frente a las tierras desconocidas, a los hombres que en ellas vivían, a las naciones que, por la conquista, la transculturación y el mestizaje iban a surgir.

Y, finalmente, algo que ningún escritor enamorado de su lengua, como yo lo soy, puede pasar por alto: la maravillosa redacción de su texto. El estilo, trabajado en la frase amplia de los clásicos, es de una justeza y claridad insuperables. Como se trata de una ley, su legislador cuida de que el texto sea tan preciso como la marcha de un reloj, para que ningún legista quiera apartarse de su letra a pretexto de consultar su espíritu. La forma en que son relatados el decubrimiento, la conquista, y el afincamiento; los epítetos que se aplican al descubridor: "hombre apto y muy conveniente a tan gran negocio y digno de ser tenido en mucho", que, en su sobria simplicidad, son lo más justo y bello que se ha dicho de Colón; la dignidad suprema de que están investidas las palabras, cada una en su verdadero sitio, en la plenitud de su significado, jugando dentro de la oración un estricto papel; la altura excelsa de los sentimientos, expresada con una fidelidad que pocas veces alcanza el lenguaje; hacen, a mi entender, a este documento uno de los más bellamente escritos en la lengua española. Si fue el propio Papa el que lo escribió -y es lícito suponerlo así, una vez que la trascendencia excepcional del motivo debió exigir del Pontífice una atención mayor que cualquier otro negocio-, hay que convenir en que don Rodrigo de Borja, Alejandro VI, era un gran escritor.

.   .   .

El documento comienza en forma de una carta dirigida por el Sumo Pontífice a sus hijos espirituales los Reyes de Castilla y de León:

"Alejandro, siervo de los siervos de Dios, a los ilustres hijos carísimos en Cristo, hijo rey Fernando y muy amada en Cristo, hija Isabel Reina de Castilla... salud y bendición apostólica..."

Sin perder tiempo entra, tras la solemne salutación inicial a la materia de la Bula: nada de preámbulos inútiles ni rimbombantes, nada de literaturas estériles que puedan dar motivo a equivocaciones o interpretaciones torcidas. El objeto del documento es, simplemente, el de conceder a los Reyes Católicos mayores facilidades para su obra de defensa y dilatación de la fe:

"Lo que más agrada entre todas las obras a la Divina Majestad y nuestro corazón desea, es que la Fe Católica y Religión Cristiana, sean exaltadas, mayormente en nuestros tiempos, y que en todas partes sean dilatadas y ampliadas y se procure la salvación de las almas, y las bárbaras naciones sean deprimidas y reducidas a esa misma Fe... (por ello) dignamente somos movidos (no sin causas)... y es nuestra voluntad concederos aquello mediante lo cual, cada día, con más ferviente ánimo, a honra del mismo Dios y ampliación del Imperio Cristiano, podáis seguir vuestro santo y loable propósito (que es el mismo nuestro)..."

No se trata, pues, de ningún menguado propósito terrenal, no se quiere ampliar el poder temporal de unos monarcas por el solo deseo de que dichos monarcas gocen de tal ampliación. No. Se trata de algo muy por encima de mundanos apetitos de poderío y expansión imperialista, como diríamos hoy: se trata de dotar a los Reyes Católicos de un poderoso instrumento que les permita seguir su obra de "honra del mismo Dios y ampliación del Imperio Cristiano", entendiendo por tal el de una mayor extensión, en el número de las gentes que creen y en la superficie de las naciones creyentes, que profesan la verdadera religión. Y no hay por qué repugnar los términos "sean deprimidas y reducidas" a la Fe Católica las naciones bárbaras, porque su empleo es justo y preciso. El alma humana, cuando ignora la enseñanza de Cristo está libre, suelta al juego de los instintos, sin norma que la guíe, sin norte alguno, como un navío sin timón a merced de las olas. El hecho de ingresar en el rebaño de Cristo significa el reducirse a una norma inflexible, el deprimirse a una servidumbre completa: la del alma cristiana, hija y sierva, a un mismo tiempo, del Padre y de la enseñanza y la disciplina de la Iglesia del Hijo. De la completa libertad del alma bárbara a la sujeción, milicia y disciplina del alma cristiana. Y sigue:

"Entendemos que desde atrás habíades propuesto en vuestro ánimo buscar y descubrir algunas islas remotas e incógnitas... para reducir los moradores dellas al servicio de Nuestro Redentor y para que profesen la Fe Católica... y que por haber estado muy ocupados en la recuperación del Reyno de Granada, no pudísteis llevar hasta ahora a deseado fin este vuestro santo y loable propósito..."

Aquí está, viva, la española mano que escribe la Bula. Alejandro VI, príncipe español, tiene especial interés en dejar constancia de las justas razones que determinaron el que España se dejara preceder de Portugal en la carrera de los descubrimientos. Los Reyes Católicos tenían considerado ese proyecto "desde atrás", pero no lo podían poner en práctica porque una tarea, de vital importancia para toda la cristiandad, les tomaba toda la atención: el llevar a feliz término la secular guerra de la Reconquista, expulsando de Europa a los árabes, hijos del Islam. Libres de esa tarea, han cumplido sus viejos propósitos:

"... y que, finalmente, habiendo por voluntad de Dios cobrado el dicho Reyno, queriendo poner en ejecución vuestro deseo, proveísteis al dilecto hijo Cristóbal Colón, hombre apto y muy conveniente a tan gran negocio y digno de ser tenido en mucho, con navíos y gentes para semejantes cosas, bien apercibidos, no sin grandísimos trabajos, costas y peligros, para que por la mar buscase con diligencia las tales tierras-firmes e islas remotas e incógnitas, a donde hasta ahora no se había navegado; los cuales después de mucho trabajo, con el favor divino, habiendo puesto toda diligencia, navegando por el Mar Océano hallaron ciertas islas remotísimas y también tierras-firmes que hasta ahora no habían sido por otros halladas..."

En estas líneas, parcas y precisas, dotadas de singular grandeza, está la opinión de las gentes del Renacimiento sobre la hazaña del Almirante y de los Reyes Católicos. Comienza reconociendo que la no igualada acción se debe, en primer lugar, a los Reyes Católicos, que escogieron la gente y equiparon la expedición, y luego a Colón, que la dirigió y llevó a feliz suceso. Las palabras con que el Papa se refiere al descubridor son el vivo reflejo de la profunda admiración que, tras el término del viaje, rodeó a este hombre en el mundo del Siglo XV. Para que el Papa llame a un marinero "dilecto hijo", y lo elogie con esa magnífica sobriedad, reconociendo sus aptitudes y la envergadura de su descubrimiento, se necesitaba que fuera ese hombre el centro de la atención universal y que la admiración de todas las gentes, cultas y no cultas, lo rodease como un halo permanente. Y así era. Tras el reconocimiento de los méritos del Jefe, el Papa reconoce la excelencia de la organización de la empresa, la capacidad técnica y el valor personal de los expedicionarios, la grandeza casi sobrenatural de la aventura: "navegando por el Mar Océano hallaron tierras remotísimas que hasta ahora no habían sido por otros halladas", "navegando a donde hasta ahora no se había navegado"... Pienso, también, que, entre los mil y un hombres que han relatado la gran aventura, nadie lo ha hecho mejor que el Papa Alejandro Borgia en el párrafo transcrito y en estos que siguen:

"... hallaron ciertas islas remotísimas y también tierras-firmes que hasta ahora no habían sido por otros halladas, en las cuales habitan muchas gentes que viven en paz, y andan, según se afirma, desnudas y no comen carne. Y a lo que los dichos vuestros mensajeros pueden colegir, estas mismas gentes que viven en las susodichas islas y tierras-firmes, creen que hay un Dios creador en los cielos, y parecen asaz aptas para recibir la Fe Católica y ser enseñados en las buenas costumbres, y se tiene esperanza de que si fuesen adoctrinados, se introduciría con facilidad en las dichas islas y tierras-firmes el nombre del Salvador Nuestro Señor Jesucristo..."

Alejandro VI vuelve a recalcar el principal móvil de la conquista y colonización consiguiente y luego, con información no deformada por ningún prejuicio, establece la verdad indiscutible de que esos hombres de las nuevas-tierras, a los que luego se llamara "indios" por efecto de una equivocación grográfica, son iguales a los cristianos europeos, están dotados de un alma racional y su condición humana es igualmente excelsa, ya que son "asaz aptos para recibir la Fe Católica y ser enseñados en las buenas costumbres". Y de aquí, de este concepto, compartido por el Papa, los Reyes españoles y todos los conquistadores, parte la acción civilizadora de España en América. El Papa cuida de explicar que, si él sabe y cree que esos pobladores de las nuevas tierras son de igual condición humana que sus descubridores y conquistadores, es por verídica información de estos mismos descubridores. El español viene con este convencimiento de igualdad esencial, de igualdad de almas ante Dios, y conquista a América, "reduciéndola" a su misma fe y mezclando su sangre con la de ella. No siente el rechazo de sangre, la repugnancia de sangres invencibles, que se siente al fondo de la conquista anglosajona. El español no tiene escrúpulos para compartir su lecho con las indias ni para contraer con ellas matrimonio arreglado a la ley y a la religión ni para reconocer como sus hijos legítimos, herederos de nombre, blasón y hacienda, a los nacidos de él y de su mujer indígena. Las Leyes de Indias se inspiran en el mismo espíritu que las palabras de Alejandro VI en la Bula, y reconoce la igualdad de los indios con los españoles en lo esencial, en los fundamentales derechos humanos, aun cuando, como dice el profesor Ots Capdequí, "si jurídicamente fueron los indios hombres libres, en cambio se les compelía a la prestación de determinados servicios personales, algunos de ellos tan gravosos como el de la mita. ¿En tales circunstancias, cómo imaginarnos a los indios poseyendo tierras en el mismo plano de igualdad que los otros propietarios españoles y mucho menos beneficiando minas en provecho propio? Se respetaría a los indios la propiedad de sus tierras sólo en tanto constituyeran éstas un medio para satisfacer con el fruto de su cultivo los impuestos que venían obligados a pagar a sus encomenderos y a la Corona. Por eso, más que como señores, deben ser considerados como siervos de la propia tierra que labraban. Cuando la tierra por ellos poseída adquiría un valor económico suficiente para tentar la codicia de los conquistadores, pronto surgía la detentación violenta o solapada que privaba a los indios de su derecho tantas veces sancionado por la ley". Esta es la parte negra de la acción española en América, la parte de la rapacidad, que, con sabias palabras, como veremos más adelante, el Papa Alejandro quiso evitar en la Bula. Esta es la "parte de este mundo" de la verdad de España en América: junto a las leyes elaboradas por los hombres del humanismo hispano, la falaz aplicación de las mismas por el rábula de conciencia burda que siguió al gran aventurero, y por el pequeño aventurero codicioso, de bolsa insaciable, que cubrió toda América tras la primera ola de conquistadores. Y así hemos seguido: con una ley escrita de admirable justicia y una falaz aplicación de la misma: hasta que llegue el día de la verdad y haya igualdad económica entre los hombres.

Y sigue el documento: "Y que el dicho Cristóbal Colón hizo edificar en una de las principales de las dichas islas una torre fuerte, y en guarda de ella puso ciertos cristianos de los que con él habían ido, para que desde allí buscasen otras islas y tierras remotas e incógnitas... y que en las dichas tierras e islas ya descubiertas se halla oro y cosas aromáticas y otras muchas de gran precio, diversas en género y calidad..."

Parece que estamos leyendo el final del largo título que el editor de las "Cartas de Relación" del gran capitán de la conquista Don Hernán Cortés puso en la portada de la Carta Tercera: "... asimismo hace relación de como va descubierto el Mar del Sur, y otras muchas y graves provincias muy ricas de minas de oro y perlas y piedras preciosas y aún tienen noticia de que hay especería". Comienza a correr por el mundo el tremendo llamado de la riqueza sin igual de América. Tras ella se encenderán los ojos de mil pueblos y habrá sangre y guerra y fuego en las tierras en que las gentes "vivían en paz y andaban desnudas y sin comer carne". La civilización de occidente se precipitaba sobre la gran tierra-firme y las innúmeras islas desconocidas.

El Papa fija el propósito central del descubrimiento y la conquista en este párrafo:

"... por lo cual, teniendo atención a todo lo susodicho con diligencia, principalmente a la exaltación y dilatación de la Fe Católica como conviene a Reyes y Príncipes Católicos... propusísteis... sujetar... las islas y tierras-firmes y los habitadores y naturales dellas y reducirlos a la Fe Católica".

A pesar de los terribles desbordamientos de concupiscencia, de crueldad y codicia que presenció el mundo de parte de los españoles en América, es indiscutible que jamás se olvidó el principal propósito de la Conquista y la Colonia: la dilatación de la Fe Católica en las nuevas tierras. Y es tan así que, como lo cuenta Picón Salas, "hasta un auténtico bandido como Lope de Aguirre, una de las personalidades más diabólicas de la Conquista, censura en una carta a Felipe II a los frailes que holgazanean en vez de evangelizar". En medio de los más grandes desenfrenos de su codicia, el conquistador español tuvo siempre presente que ellos no vinieron para "haber mercadería", sino para cristianar y para la paz de su alma pecadora en grado sumo, pusieron siempre cierto empeño en cumplir su tarea de apóstoles, aun en medio de la injusticia y la crueldad. Dicho sea ésto en parcial descargo de sus muchos pecados.

El Pontífice se prepara, en el párrafo que sigue, para hacer la gran merced a la hija primogénita de Cristo, a su España, brazo armado de la Iglesia, apóstol terrible y superpotente de la Fe Católica. Para ello, ordena continuar la conquista y la evangelización sin jamás desmayar, con audacia, "libertad y atrevimiento" e indomable voluntad:

"Así que, Nos, alabando mucho en el Señor este vuestro santo y loable propósito (el de descubrir las nuevas tierras para enseñar en ellas la Fe Católica), y deseando que sea llevado a debida ejecución, y que el nombre de Nuestro Salvador se plante en aquellas tierras, os amonestamos muy mucho... que cuando intentáredes proseguir del todo semejante empresa, queráis y debáis con ánimo pronto y celo de verdadera fe, inducir a los pueblos que vivan en las tales islas y tierras que reciban la Religión Cristiana, y que en ningún tiempo os espanten los peligros y trabajos, teniendo esperanza y confianza firme, que el Omnipotente Dios favorecerá felizmente vuestras empresas...".

Y fue así. Jamás los hombres de España se arredraron ante las dificultades gigantescas de su empresa. Cruzaron los Andes, a pie, vestidos con sus pesadas armaduras; lucharon contra ejércitos que los centuplicaban en número y libraron guerra contra climas, plagas, pestes y serpientes; se adentraron por las tierras misteriosas de la Amazonia; violaron secretos eternos como el del Gran Río y fueron sembrando su sangre, su fe y su cultura en medio de terribles desafueros y crueldades, seguros de que serían perdonados por el Omnipotente Dios, porque nunca olvidaron que su principal tarea era la de dilatar su Religión y porque a ella redujeron a todos los habitantes de las nuevas tierras. El Papa Alejandro, español como era, sabía a qué pueblo, a qué hombres, encomendaba la estupenda empresa. Y hace la gran merced:

"...y para que siéndoos concedida la liberalidad de la Gracia

Apostólica, con más libertad y atrevimiento toméis el cargo de tan importante negocio, motu propio, y no a instancia ni petición vuestra, ni otro que por vos nos lo haya pedido, mas de nuestra mera liberalidad y de cierta ciencia y de plenitud de poderío apostólico... os damos todas las islas y tierras-firmes hacia el Occidente y Mediodía, fabricando y componiendo una línea del Polo Artico, que es el Setentrión, al Polo Antártico, que es el Mediodía, ora se hayan hallado islas y tierras-firmes, ora se hayan de hallar hacia la India, o hacia otra cualquier parte, la cual línea diste de cada una de las islas que vulgarmente dicen de los Azores y Cabo Verde, cien leguas hacia el Occidente y Mediodía; así que todas sus islas y tierras-firmes, halladas y que se hallaren, descubiertas y que se descubrieren, desde la dicha línea hacia el Occidente y Mediodía, que por otro Rey o Príncipe Cristiano fueren actualmente poseídas hasta el día del nacimiento de Nuestro Señor Jesucristo próximo pasado, del cual comienza el año presente de mil cuatrocientos noventa y tres, cuando fueron por vuestros mensajeros y capitanes halladas algunas de dichas islas; por la autoridad del Omnipotente Dios, a Nos en San Pedro concedida, y del Vicariato de Jesucristo, que ejercemos en la tierra... las damos, por el tenor de las presentes, concedemos y asignamos, perpetuamente, a vos y a los Reyes de Castilla y de León, vuestros herederos y sucesores; y hacemos, constituimos y diputamos a vos y a los dichos vuestros herederos y sucesores, señores dellas, con libre, pleno y absoluto poder, autoridad y jurisdicción..."

La cultura geográfica de los hombres del Renacimiento está escrita en este párrafo por la mano que más alta estaba en la tierra. Esa mano poderosa acababa de dividir el mundo. En adelante, todos los hombres sabrán que las nuevas tierras no han sido halladas para toda la humanidad, sino únicamente para los hombres de España, porque ella es el hijo primogénito de la Iglesia de Cristo y su brazo armado e indomable. Y será inútil que allá, en tierras del Perú, acorralado como dañina fiera, un Gran Rey de los hombres de las nuevas tierras, Atahuallpa, proteste diciendo que "aquel señor", el Papa, al dar a los Reyes Católicos las tierras del Perú, ha dado lo que no era suyo... España era ya y para siglos la dueña de las nuevas tierras. Junto con el príncipe indio, los marineros y los geógrafos, los aventureros y los comerciantes, los reyes y los generales no españoles fruncieron el ceño y sintieron una violenta desazón en el alma: se había alzado en la mitad del mar una muralla casi infranqueable, una muralla edificada con las palabras del Vicario de Cristo, se interponía entre sus barcos codiciosos y el universo de riquezas y aventuras de las nuevas tierras. Sin embargo, el espíritu de justicia y la razón de estado del soberano temporal que era también el Soberano Pontífice, salva los derechos adquiridos que pudiesen tener otros Príncipes Cristianos, medida que era, casi exclusivamente, para evitar la lesión que en su naciente imperio pudiese sufrir el Rey de Portugal:

"... con declaración de que nuestra donación... no se entienda ni pueda entender que se quite... el derecho adquirido, a ningún Príncipe Cristiano que actualmente hubiere poseído las dichas islas y tierras-firmes hasta el susodicho día de la Navidad..."

En seguida, Padre de los Cristianos, con verdadera voz apostólica, da sus órdenes a los Reyes para la conquista y la colonización, emitiendo la que podíamos llamar primera carta de los derechos humanos en este continente.

Oigámoslo: "Y... os mandamos, en virtud de Santa Obediencia,... procuréis enviar a las dichas tierras-firmes e islas, hombres buenos, temerosos de Dios, doctos, sabios y expertos, que instruyan a los susodichos moradores en la Fe Católica, y les enseñen buenas costumbres, poniendo en ello toda la diligencia que convenga..."

Y entre ellas, este magnífico mandato:

"Y del todo inhibimos a cualesquiera persona, de cualquier dignidad, aunque sea Real o Imperial, estado, grado, orden o condición, so pena de excomunión mayor latae sententiae... que no presuman ir por haber mercaderías..."

Pero no siempre los hombres buenos y doctos son capaces de una tan grande empresa como la de conquistar, con escasos elementos y en pequeño número, todo un continente, situado tras la extensión de los mares y poblado por varia y no siempre pacífica gente y por bosques y alimañas y fiebres y serpientes. Fue necesario dejar venir a la gente que a tanto se arriesgaba. Mucho hombre bueno, al llegar al nuevo mundo y luchar contra el ambiente hostil, se tornó rudo y cruel y ávido de riquezas, y olvidó las apostólicas y mansas palabras de Su Santidad y las reiteradas

151

recomendaciones humanitarias de sus Reyes. El curso tremendo de la gran aventura volvía crueles y violentos a los hombres.

De ello se lamenta el Gran Capitán Hernán Cortés: "Y si todos los españoles que en estas partes están y a ellas vienen fuesen frailes, o su principal intención fuese la conversión de estas gentes, bien creo yo que su conversación con ellas sería muy provechosa; mas como esto sea al revés, al revés ha de ser el efecto que obrare; porque es notorio que la más de la gente española que acá pasa son de baja manera, fuertes y viciosas de diversos vicios y pecados. Y si a todos estos se les diese libre licencia de se andar por los pueblos de indios, antes por nuestros pecados se convertirían ellos a sus vicios que los atraerían a la virtud". No pudo, pues, ser cumplida la orden del Papa, de dejar pasar a las nuevas tierras únicamente "hombres buenos, temerosos de Dios", capaces de enseñar a los aborígenes las buenas costumbres. Y, ¡qué vigorosa es la descripción que, en dos palabras, hace Cortés de los conquistadores: "gentes de baja manera, fuertes y viciosas"! Tal es la naturaleza humana, y así debían de ser los hombres para que fuesen capaces de la empresa.

Y, a pesar de todo, grande y mucho fue el bien que hicieron. Extendieron el reino de Cristo, en primer lugar. Cometieron crueldades, "hubieron mercadería" y se enriquecieron a costa de los indios, los hicieron comer de perros amaestrados en la terrible cacería, como lo contó Fray Bartolomé, el buen seguidor de las palabras del Santo Padre. Pero también, como lo dice López de Gómara, "diéronles (los españoles a los indios) bestias de carga para que no se carguen; y de lana para que se vistan, no por necesidad sino por honestidad, si quisieren; y de carne para que coman, cales faltaba. Mostráronles el uso del hierro y del candil con que mejoran la vida. Hánles dado moneda para que sepan lo que compran y venden, lo que deben y tienen. Hánles enseñado Latín y Ciencias, que vale más que cuanto oro y plata les tomaron; porque con letras son verdaderamente hombres, y de la plata no se aprovechan mucho ni todos. Así que libraron bien en ser conquistados, y mejor en ser cristianos". De manera que, a pesar de todos los vicios y pecados, América fue hecha por españolas manos y se ganaron estos reinos para la verdadera fe. Todo, por obra de esos hombres "de baja manera, fuertes y viciosos", de los cuales fue la voluntad del Altísimo el valerse.

Y fue saciada la apostólica sed del Santo Padre.

Termina la Bula estableciendo atroces castigos para los hombres temerarios y descreídos que osaren violarla:

"Así que, a ningún hombre sea lícito quebrantar o con atrevimiento temerario ir contra esta muestra Carta de encomienda, amonestación, requerimiento, donación, concesión, asignación, constitución, diputación, decreto, mandato, inhibición y voluntad. Y si alguno presumiere intentarlo, sepa que incurrirá en la indignación del Omnipotente Dios y de los bienaventurados Apóstoles Pedro y Pablo".

Habla mucho en favor del espíritu libre de los hombres, y del valor de los aventureros, el que tantos quebrantaren esta Bula, sin preocuparse demasiado por la indignación del Omnipotente Dios y de los bienaventurados Apóstoles Pedro y Pablo. Porque olas de aventureros portugueses e ingleses, holandeses y franceses, tomaron por asalto las mil y un playas de las nuevas tierras y se apoderaron de vastas comarcas y de ciudades y plazas fuertes asignadas, perpetuamente, por voluntad de Dios, a los hombres de los Reyes de España. Y porque, después de cuatro siglos del desembarco de las tres carabelas, los hijos de aquellos que vinieron a cristianizar y de las sencillas gentes que fueron cristianizadas, se alzaron también contra la Bula, y, sin pensar que incurrían en la indignación del Omnipotente Dios y de los bienaventurados Apóstoles Pedro y Pablo, arrebataron a una España aún fervorosa por la verdadera Fe, pero decadente y cansada, la posesión y el gobierno que, "con libre, pleno y absoluto poder, autoridad y jurisdicción", les había concedido a perpetuidad sobre este nuestro mundo de América el Papa Alejandro. Y las hicieron nacer, así a la vida del propio dominio y libre determinación, para bien o para mal, según la índole de los hombre que en ellas se alzaron, de entre sus iguales, a las alturas del gobierno.

La Línea Alejandrina quedó erguida en la mitad del mar, resguardando, con la fuerza de sus palabras estrictas y solemnes, los derechos que España había obtenido a base de su epopeya máxima. Y aun cuando la había levantado el mayor poder de la tierra, poder del espíritu y de la fe, a la postre fue inútil, y no preservó a América en manos de España, como también fue inútil la muralla que una doctrina, lanzada siglos después, intentó construir para preservar a América bajo otro poder: erigida a lo largo del mar la muralla Monroe no logró su propósito y al igual que la Línea Alejandrina fue excedida a la hora precisa fijada en el reloj de la historia. América no tiene que ser preservada por línea alguna, por muralla alguna, para poder alguno: tiene que ser preservada para la libertad, la justicia y la paz por la buena voluntad de los americanos del norte y del sur: esa será la muralla que realmente nos proteja de la avalancha de injusticia y violencia que anega al mundo. La hora en que logremos levantar esa muralla será la más feliz de la historia: quieran los dioses que presiden la vida de los pueblos que no esté cada vez más lejana.

LA ULTIMA AVENTURA DE CLARIN

-Un ensayo sobre "La vida es sueño"-

1. El retrato a la distancia

El periodista, ese diablo cojuelo del siglo XX, que es como su cifra y clave; que está en todas partes, ubicuo y esquivo, metiendo el ojo fisgón donde acontece aquello que no debe ser visto; extendiendo la oreja sedienta hacia donde se habla lo que no debe ser oído; y que, dando saltos y volteretas como Puck en la noche de San Juan, lo esparce luego a los cuatro vientos, convirtiéndolo en pasto y comidilla de aquellos a quienes nada les importa; destruyendo así el secreto, arrebatando a los acontecimientos el velo del misterio, oficioso explicador de lo inexplicable, destructor de lo íntimo, antídoto de la vida privada... ese diablo cojuelo, ese curioso trasgo, síntoma característico del siglo de la muerte, la ciencia y la muchedumbre, fue retratado con cuatro siglos de anticipación, en forma maravillosa, con vicios y virtudes, defectos y cualidades, pelos y señales, huella digital y filiación Vucetich, hasta tornarlo palpable, de dimensiones completas e inconfundibles, por don Pedro Calderón de la Barca, en la obra dramática más alta y profunda de la escena castellana: en "La vida es sueño", relato cultista y, como tal, frondoso, de la atroz aventura del Príncipe Despojado, del que dudaba del testimonio de sus sentidos.

Esta obra genial y sombría es la crónica, a lo hondo y amargo, de dos aventuras bien distintas, que el destino entrecruza y anuda por manera asaz arbitraria, ya que aparece claro que sus protagonistas no estaban destinados a mirarse a los ojos, ni a cambiar razones asombrosamente afectadas y frondosamente vestidas de palabras. Pero así es el destino cuyos hilos mueve, con manos certeras y poderosas, don Pedro Calderón de la Barca, genial creador de estos geniales muñecos cuya humana y triste invención está construida con el limo secreto de la angustia, que es la materia prima de la cual se encuentra hecho todo lo que en el mundo vive y para cuya acción sin fronteras, como Clarín lo dice, "no hay seguro camino".

La historia principal es la aventura del Príncipe Despojado, del Solitario, del Triste, del traicionado por todos, del Sin Amigos, del más absoluto de los abandonados: del hombre que ni siquiera estaba acompañado por sus sentidos, las "ventanas del alma", ya que dudaba de su testimonio y solamente admitía, convirtiéndolo en campo para la vida, la dimensión falaz y enardecida, llena de niebla densa, que llamamos "sueño", en cuyas redes engañosas va presa hacia la eternidad la entera mitad de nuestras horas. Trenzada a esta aventura, de categoría eterna, va otra menor, en la que solamente se juega la suerte de una mujer hermosa. Digo aventura menor porque en la de Segismundo va en riesgo, con honda solemnidad, el destino íntegro de la especie humana, mientras que en la de Rosaura —divino nombre de una divina aventurera, rosa de las auras, rosa de los amaneceres, rosa de las suaves brisas impapables que pueblan la mañana— solamente se juega, una vez más sobre la dura tierra, entre lágrimas saladas y espinosas razones, pobladas de penas de amor, de engaños y desdenes prolijamente expuestos y sabiamente rimados, el corazón, o sea la vida toda de una mujer hermosa.

Suficiente era, para lograr la estatura de grandeza inmortal que alcanza "La vida es sueño", la primera aventura. Solamente ella basta para que sea la obra que mayor altura y profundidad, a lo universal y a lo eterno, alcanzó el siglo de oro del pensamiento español: Segismundo, "como fiera criado y sólo de una luz acompañado"; el loco rey astrólogo que fiaba el porvenir de su estirpe y de su pueblo al parpadeo de las estrellas lejanas; la torre "entre peñas perdida"; la rebelión de los pecheros y la espantable jornada del "soñar despierto", esa escena que, como pesadilla ancestral, persigue al hombre desde las regiones más oscuras del espíritu; escena en la cual Calderón asume, dotándola de austera e inolvidable tristeza, toda la estatura de la incertidumbre que, como el agua al pez, envuelve al ser humano mientras vive. Pero a Calderón le encanta complicar las cosas, siguiendo la enseñanza de la vida que todo lo complica entretejiéndolo con lazos laberínticos, y así añade a la sombría desnudez del drama del Príncipe Despojado la perfumada madeja de una intriga galante.

No debe ello causarnos sorpresa: Calderón era un escritor barroco y, por tanto, indiscreto, nada menos que un secuaz del creador de "Polifemo" y "Las soledades", es decir del menos sobrio de los genios creadores, y por eso al más desolado de los dramas metafísicos añadió la intriga de Rosaura y Clarín, que le dio un aire de comedia de capa y espada ciertamente traído por el viento, y gracias a este humor de juntar lo eterno con lo transitorio, lo hondo con lo superfluo, lo esencial con la anécdota, fue que se coló, como si dijéramos por la ventana, en la mayor de las obras de teatro españolas un ser burlón, liviano, amoral, encantador, móvil y diabólico a lo diablejo, a lo Satanasillo, a lo Diablo Cojuelo, a lo Puck: Clarín, el juguetón, el indiscreto, el fisgón, el quemeimportista, el modernísimo reportero, todo el siglo XX en pleno siglo de oro: el pequeño trasgo de la muerte grandiosa, el inolvidable periodista moscovita, cuya última aventura, aquella que le dio la muerte "porque de Dios estaba que muriese", se desliza en medio de la galante aventura de la dama de Rusia y la eterna pesadumbre del príncipe de Polonia como la ráfaga de viento fresco que se cuela por la hendija de una ventana en la cámara augusta donde está reinando la tragedia.

Es preciso advertir que la voluntad calderoniana de mezcla lo esencial y lo anecdótico, lo hondo y lo superfluo, si bien consustancial con la técnica dominante del drama español del siglo de oro, no es pueril ni arbitraria, sino la contrafigura precisa de lo que en la vida real acontece, pues en ella lo cómico se cruza con lo trágico, lo idiota atraviesa lo inteligente, lo transitorio hace cabriolas sobre lo eterno y todos los caminos se enmarañan y entretejen, tiñendo de comedia lo dramático, de fantasía desbordada lo desnudo y estricto y de vivo color lo sórdido y sombrío, invitando al ser humano a perder la brújula en lo más espeso del bosque, donde domina lo contradictorio y la realidad se vuelve confusa e inexplicable. Siglos después de que Calderón mezclara lo transitorio a lo eterno, Dostoievski, que no era barroco ni cultista, condensó la aparente antinomia en una frase perfecta, cuando dijo que "nada es tan fantástico como la realidad". No consideremos absurda fantasía el mezclar a Rosaura y Clarín con Segismundo: si ello está traído por el viento, ese viento viene soplando desde la infinita pradera de la vida.

2. Examen de las apariencias

Probemos, pacientes amigos, relatar, entresacándola de la obra inmortal, la pequeña y apasionante aventura que a ella va entretejida: la aventura de Clarín, el periodista que vino de Moscovia fingiéndose criado de Rosaura, la damisela víctima de un aleve seductor y que, en tierras de San Casimiro hubo de toparse, súbitamente, con la espantable y temerosa aventura del Príncipe Despojado, y asistió al desenvolvimiento final de su tragedia sin segundo, hasta cuando la muerte lo sorprendió en el sitio en que él la olía más lejana. Es la última aventura del trasgo burlón que logró el premio de morir a lo grande, y es la única que de él conocemos: escasa provisión, es verdad, pero suficiente, por la intensidad de su acontecer, para que nos lo sepamos de memoria y para graduarlo de prototipo de la especie que, cuatrocientos años más tarde, como una yerba loca, habría de cubrir con fuerza irresistible la ancha esfera del mundo, agostándose solamente en los países donde el sol de la libertad se ha eclipsado y reinan las sombras de la tiranía.

Espero, además conseguir que me acompañéis a examinar las apariencias, para convencernos juntos, con obras y amores y aun buenas razones, de que Clarín, aun cuando lo pretenda, no es criado de la moza agraviada ni, mucho menos, un gracioso más, de los que, con débil vida de marionetas, transitan por los superpoblados caminos de la escena española del siglo de oro. Es verdad que tanto el propio Clarín como Calderón, su excelso cronista, no pretenden que fuera otra cosa que criado y gracioso, pero este pretender es tan sólo apariencia, como es siempre apariencia toda humildad.

Clarín asume plenamente el rol de gracioso que el sentido de equilibrio, consustancial del genio literario español, introdujo en el drama clásico para temperar la árida grandiosidad de la tragedia y traerla al clima del acontecer cotidiano por virtud del brusco contraste. Así, desde el reino de la abstracción, donde moran los prototipos, logra transformar la acción realistamente no rebajando su estatura, sino dotándola de las contradictorias dimensiones de la vida, en la cual junto a lo sublime acaece lo cómico. Y es gracias a esta invención que en la escena española se perciben claramente, con acentos de humanidad indiscriptible, los altibajos de la risa dentro del sollozar sin ayes ni lágrimas del hombre que agoniza en su lucha contra Dios o el Destino, que es, en su esencia, la tragedia clásica. El gracioso atempera la aridez del dolor y la vis cómica inigualada de los grandes trágicos del siglo de oro, dignos hermanos del Arcipreste, de Rojas y Cervantes, sabe introducirlo con tal fuerza de presencia oportuna que en ningún instante la caída del bufón que resbala dentro de la cámara mortuoria produce una quiebra del gusto, ni lanza torpe agua fría sobre el rico brocado de la tragedia, que la sangre empapa.

Clarín, el gracioso de "La vida es sueño", lo es de mentirijillas: cuando llega la hora de morir, muere como hubiese muerto Segismundo si hubiese estado de Dios el permitirle morir a nuestros ojos. En cambio, los demás graciosos, meras comparsas destinadas a recordar al espectador que la obra acontece en el mundo, no suelen morir así cuando a morir los llaman, mortales como son. Los graciosos son simples muñecos de alma elemental y se fabrican en serie, sin que al hacerlo la testa del dramaturgo haya sido atormentada por el dolor de crear, ese dramaturgo que tras darles la vida los mueve sin tomarse la molestia de ocultar la mano de la cual pende el hilo. Mas Clarín, el gracioso de "La vida es sueño", no muestra nunca la mano que lo mueve ni jamás se ve el hilo del cual está pendiendo su destino. Al contrario: aparece actuando complicada, sutil, desenfadadamente, guardando siempre las apariencias de bufón de antiguo cuento, vistiendo el consabido ropaje de locura adecuado a su oficio, pero con ribetes de escepticismo volteriano o de despreocupado reporter yanqui frente a los hechos más descomunales, superioridad de espectador moderno frente a un oscuro drama antiguo, actuando con la altura de la inteligencia habituada al lógico razonar científico, desnudo de todo fanatismo, que enfrenta a las oscuras, torvas, falaces y aterrorizadas mentes medievales que lo rodean como Sir Boss, el yanqui de Mark Twain enfrenta la oscura niebla de las mentes del reino de Arturo en la jocunda novela que ninguno hemos olvidado. Es por ello que Clarín muchas veces se roba la escena y brilla con luz propia. Es un ser de sutil complicación intelectual, cuya mayor estatura entre los seres elementales no puede ser escondida por la denominación de "gracioso" que acompaña a su nombre en el reparto. Tras esa apariencia de agua clara guarda profundos sedimentos invisibles a los ojos pueriles. Anticipación genial de un tipo que, centurias más tarde, sería fruto burlón y amoral de la escéptica aventura del ser humano que, tras haber soportado ochenta y cinco años de siglo XX, cree haberlo sufrido ya todo. Si se la sigue con atención, se verá cómo, escapándose incontenible-mente de su rol secundario, la móvil figura de Clarín toma por instantes una extraña grandeza y es claramente perceptible en la escena, aun estando junto a Segismundo, el símbolo.

En cuanto a la treta usada por Clarín para entrar en escena —la de presentarse como sirviente de la hermosa aventurera— es una añagaza tan clara que nosotros, viejos averiguadores de pillerías de periodistas, vemos a través de ella como de un cristal diáfano. Las pruebas abundan. En su primera aparición, en la orilla del tremebundo torrente, frente a la torre siniestra, el periodista moscovita se traiciona y declara: "Nosotros (la hermosa perjudicada y él), los que de nuestra patria hemos salido a probar aventuras". Nada del tradicional lamento del criado, que al verse metido en la boca del lobo de la aventura, reniega de los riesgos a que su oficio le lleva. Nada del lamento del fámulo que, colocado por capricho de su amo fuera de su condición doméstica, tan segura, debe exponer alma y cuerpo en ajena aventura. A mil leguas de ello, Clarín se declara socio principal de una empresa aventurera propia y en su voz aun se puede notar ese gozoso temblor característico de quien es autor, más que seguidor, de la arriesgada acción.

Y se comprende la tramoya con toda claridad. Debió correr por calles y caminos de Moscovia mucho decir sobre la loca aventura de la loca Rosaura y cuando el reportero la supo, vio la puerta abierta para hundirse, hasta el cuello en una bella y prohibida intriga cortesana, llena de toda clase de novedades y emociones. Cuánto chisme delicioso, cuánta sabrosa historia de alcoba, cuánta complicación palaciega iban a saberse durante la persecución del seductor por la seducida. Y es fácil verlo presentándose a ella, sagaz, decidor, confianzudo, ofreciendo su facultad innata para colarse por los agujeros de las cerraduras; su ciencia infusa de echador de tierra a los ojos de los guardianes y cancerberos; su habilidad para urdir planes, inventar mentiras y montar celadas; su experiencia caudalosa en porterías y habitaciones de servidumbre; sus piernas largas para la carrera oportuna; su oreja lista y entrenada para la pesca de la palabra precisa, que se desliza y escapa; su ojo audaz para apresar fulminante el gesto que desnuda al hombre y le quita la máscara... En realidad, muy poca gente puede ofrecer bagaje igual al que ofrece Clarín, al que el periodista tiene siempre listo para salir a la aventura, en pos de la noticia.

Y podemos también figurarnos la alegría de la animosa desfacedora de su propio entuerto, al recibir tan donoso rogalo del destino: la compania del ubiquo, del gnomo burlón a quien nadie logra echar mano, el que se escapa a pesar de todos los cerrojos y, untado en jabón, se desliza de las pesadas y torpes manos de esbirros y sabuesos. Con el gran pillo a su lado la aventura de la loca Rosaura ya no es tan locamente loca, casi parece una empresa razonable. Clarín, llamador de la buena suerte, mascota, amuleto para la desdoncellada afligida. Clarín, allanador de caminos para todos y anudador, para sí mismo, del gran nudo; cerrador del candado para el que no hay ganzúa; perdedor de la única llave que casa en la cerradura de su vida... Clarín, que va en pos de la aventura definitiva que, como siempre, no es la de los otros, sino la suya propia. Que va en pos de ella y no lo sabe.

Porque está de Dios que el periodista, ese hombre que vive sólo con los ojos hacia afuera, tenga también su vida interior y hay un instante terrible en que esa vida se le escapa. Un instante terrible para él, desde luego, pues la suerte del periodista a nadie importa, sino a él mismo. Una vida que al escaparse, con un tirón sin contemplaciones, mete hacia adentro sus ojos burlones y andariegos y los fuerza a mirar su propio espectáculo, tarea a la cual no están habituados. Ya llegará la hora de hablar de la muerte del periodista, como llegará también la hora de hablar de la muerte del poeta y aun de la del político. Y, lo cual es más grave, para el periodista, para el poeta y también para el político llegará la hora, una hora que no será para hablar, sino para morir. Así, simplemente, sin palabras. Dando el alma al aire o a la tierra, al diablo o a Dios. A quién fuere, que eso lo averiguaremos cada uno en nuestra hora precisa.

3. Encuentro con el prodigio

Nada nos dice Calderón del comienzo de la aventura. No tenemos noticia de cómo se conocieron Rosaura y Clarín, ni de los trabajos que hubieron de sufrir para cruzar clandestinamente la frontera polaca. La primera vez que les ponemos el ojo encima están ya en Polonia, corriendo desorientados campo traviesa, perdidos en "un monte fragoso, donde rústica yace, entre elevadas peñas, una torre tan breve que, lince el sol, a verla no se atreve". Están con el corazón en la boca: a la punta de prolongada carrera, sin duda perseguidos por aduaneros o guardias de frontera. Vienen a pie: caballos, por esos riscos perdidos, ni soñarlo. Pero claro está que a pie no pudieron salir de Moscovia, a pie y sin alforjas. Sin duda les fueron arrebatados cuando criado y dama cruzaban ilegalmente una frontera difícil, la más honda frontera, la que separa para siempre dos pueblos tan iguales entre sí como dos gotas de la misma agua.

Es favorable la estrella bajo la cual Clarín comienza su aventura: a la larga, lo será también para la loca aventurera. Buscando coleccionar anécdotas de palacio y chismes de elevadas alcobas va el reportero a un país vecino, llevando consigo a una de las protagonistas de ese repertorio con el cual se promete conseguir fáciles y abundantes vasos de bon vino, y de pronto, como quien dice recién cocido, se topa con el más tremendo secreto de estado de esos años en Europa, el secreto del cual pende el trono de su propio monarca, el porvenir de su patria y de la vecina y, desde luego, la vida de su compañera y con ella la de millares de hombres de su raza. Sin esfuerzo, su estrella le brinda esa maravilla apenas cruza la frontera: en esa torre breve que, lince el sol, a verla no se atreve, allí donde "cadenita hay que suena", allí está, prisionero de por vida, aquel que es el dueño dinástico de Polonia y que, solitario y triste como ninguno, gime y espera.

Cuando Rosaura y Clarín se acercan, prudentes si no temerosos a los grises muros de la pequeña torre, donde mientras duermen guardianes poco celosos, se oyen conversar consigo mismo a las cadenas, ruido de eslabones que entrechocan y de gemidos que delatan una vida sin libertad, un dolor que solitario se consume. Clarín escucha el ruido y de su boca impenitente salta, burla burlando, una medrosa fracesilla bufonesca, haciendo piruetas: "Cadenita hay que suena"; mientras Rosaura, heroína romántica, hace honor a su condición y habla en culto: "Inmóvil bulto soy de fuego y hielo". Tanto porque la noche se les viene encima y resulta imposible sufrirla a campo raso, en terrenos yermos, expuestos a bestias carniceras, a bandidos y a soldados, como porque de ellos tira la curiosidad con fuerza irresistible, se aventuran torre adentro. No olvidemos que quienes han llegado, alterados y perplejos ante la torre misteriosa, son precisamente las dos variedades del ser humano sobre quienes con mayor fuerza ejerce la curiosidad su llamado: una mujer y un reportero. Pasan veloces el puente levadizo, que el descuido de los cancerberos ha dejado tendido. No hay vigía que dé, cortante, el ¡alto!: todo duerme, se diría que la escondida fortaleza se encuentra desierta, a no ser por aquel ruido de cadenas mezclado con lamentos que más parece cosa de fantasmas. La gran puerta de hierro está entreabierta; el enorme cerrojo aún no ha sido echado. Junto a ella no hay centinela lanza en ristre. Ninguna campanilla suena al cruzarla. Dentro, sólo ese entrechocar de los eslabones de una cadena y un hombre que en soledad agoniza. Y en el alto, los ronquidos de torpes corchetes que duermen.

Tras rejas que se adivinan al fondo, en un fantasmagórico lienzo de tiniebla, "en el traje de fiera yace un hombre, de prisiones cargado y sólo de una luz acompañado". Una luz tan tenue, que no logra vencer a la tiniebla. Han encontrado al Despojado, al Solitario, el que en el mundo no tiene otro bien que esa piel de fiera que lo cubre, esa luz tan débil que combatir la noche no consigue, aquel silencio solamente turbado por los eslabones que gimen a cada movimiento, aquella cruz que es en el muro testigo de duelo semejante y una soledad tal que, abarcando al mundo por los cuatro costados de la noche, se alza sobre el alma y la esclaviza. Tal vez todo no estaría tan silencioso si faltara el ruido de las cadenas. Tal vez la oscuridad no fuera tanta si nos ahorrara esa luz débil y sorda. Tal vez la tristeza no fuera tan enorme si esa cruz no se agostara sobre el muro. Tal vez...

Clarín contempla aquello sin moverse, dejando que los ojos se le hagan matreros de esa oscuridad y los oídos de ese silencio. Y es tal ya la ascendencia que ha conseguido sobre Rosaura que, no bien la ha mirado, ya ella está diciendo lo que él quiere que diga: "Pues huir no podemos, desde aquí sus desdichas escuchemos: sepamos lo que dice". Fijaos en estas palabras: "Sepamos lo que dice". No hay un propósito caritativo ni humanitario: ella no piensa en remediar esas desdichas. Solamente piensa en saberlas: típico propósito periodístico. Viajando junto al periodista, ella ha contraído también el periodismo, epidemia para la cual no se conocen antibióticos.

Hundido en soledad y sombra, único compañero y confidente de sí mismo, el Despojado habla en un monólogo de angustias que es un diálogo con su propio yo. Mide por millonésima vez su celda helada, y mientras la flaca lumbre de su lámpara agiganta y enloquece su sombra sumándola a las de esa torre que es, como ninguna, el último extremo de la tierra y del olvido, brota de sus labios el monólogo. Es el mismo que un día cualquiera puede brotar de nuestro pecho, donde estamos por igual prisioneros y saboreamos acíbar semejante: "¡Ay mísero de mí! ¡Ay, infelice!". Los intrusos lo oyen y aprenden esa verdad espantosa y desolada que tarde o temprano aprende todo hombre en la tierra: que no hay más grave delito que el de haber nacido. Un delito que se paga cada día mientras la vida dura.

Y es la mujer, la criatura sentimental y, por ello impetuosa e imprudente, la que se delata. Nunca Clarín, que no estaba allí para compadecer al Despojado sino para llevarse sus palabras y, lejos de ese lugar de pesadilla, entregarlas al hervidero del curioso mundo, convenientemente aderezadas en el reportaje, la vianda más sabrosa que hayan inventado los hombres y para lograr la cual tantos han ofrendado su existencia. Es Rosaura, criatura sentimental, la que de pronto exclama: "Temor y piedad en mí sus

166

razones han causado", y a esta imprudencia de la contumaz imprudente, de la que un día, por serlo, perdió su palma y estropeó su guirnalda, se debe el que, entre sombras y gemidos, se trencen vidas y seres tan dispares. ¡Oh destino, cómplice al mismo tiempo de la libertad y del periodismo, desde aquí te saludo! Tu hazaña junto a la torre del Despojado merece, rendido, nuestro tributo.

He aquí, pues, al Solitario, que al escuchar la voz humana, salta como el tigre en la jaula y pregunta: "¿Quién mis votos ha escuchado? ¿Es Clotaldo?" En su pregunta se percibe el asco a la compasión, propio del orgulloso: prefiere seguir hundido en su pozo de soledad y que quien lo ha escuchado sea su carcelero, a que un oído nuevo, un oído que pueda compadecerlo, haya llegado. Clarín, que no olvida jamás las reglas del oficio, "di que sí", le aconseja a Rosaura, pero la imprudente que, en cierta forma está ya amando al Encadenado, dice, temerosa: "No es sino un triste, ¡ay de mí!, que en estas bóvedas frías oyó tus melancolías". El Orgulloso truena: "Pues muerte aquí te daré porque no sepas que sé que sabes flaquezas mías". Clarín, en cambio, cuando el Terrible lo mira, miente, simplemente: la mentira afluye a sus labios sin esfuerzo, porque cuando el periodista está acorralado, ella es su escudo. Y dice: "Yo soy sordo y no he podido escucharte". ¡Sordo él, que oye hasta caminar a las moscas!

Pero es fuerza que el periodista mienta, para escapar al peligro y llevar al mundo la noticia. La mentira es el aceite con el cual, en el último instante, el periodista unta su cuerpo: las manos de la tiranía, que se extienden para atraparlo, para arrebatarle la noticia, resbalarán y él podrá, cuando esté seguro, propalar lo que vio, lo que oyó y entendió. Cumplirá su destino, que es el de arriesgarlo todo para destruir el misterio donde lo halle. La mujer, en cambio, tiene en su encanto su defensa: cuando el Triste la mira, queda prisionero de ese encanto y olvida su amenaza. Es más, ante la gracia de la aventurera —la primera mujer que ven sus ojos, habituados solamente a la fealdad de la desdicha— se confiesa: "Con cada vez que te veo, nueva admiración me das y cuando te miro más, aun más mirarte deseo". Y es que al verla, supremo pan para los ojos del hombre, único remedio que puede curar la soledad, un rayo de sol ha penetrado en su mazmorra.

Hemos de reconocer que la aventurera, en ese instante, nos defrauda. Se comporta llena de sosería y en vez de continuar silenciosa, firme en su papel de romántica y encendida visión, consoladora y maravillosa, se troca en moralista y filosofa baratamente sobre el manido tema: "Para una desdicha, siempre hay una desdicha mayor", y nos suelta aquel apólogo que los Hermanos Cristianos repiten sin cesar en sus gramáticas: "Cuentan de un sabio que un día...", que no es sino otra forma de poner en verso ese viejo refrán que dice "mal de muchos, consuelo de tontos". Con lo cual se prueba una vez más cómo es notoria imprudencia el que la mujer, en los que Stefan Zweig llamaba "momentos estelares", recurra al razonamiento: le basta dejar que corra el río de la vida y que desborde y así, cumplir con su destino de fontana para la sed y de consuelo para la aflicción. ¡No la escuches, Segismundo, no la escuches! ¡Abreva en su ser redondo y suave la sed de tus ojos, para que cuando vuelvas a tu soledad y a tu sombra tengas, prodigio sin segundo, con tan sólo su recuerdo luz y compañía!

4. El periodista en palacio

Y ya tenemos al periodista en palacio. Ha pasado graves momentos: el alcaide de la torre, un general llamado Clotaldo, que es hombre de confianza del rey de Polonia, ha querido matarlo y no lo ha hecho gracias a la espada que Rosaura traía: una espada por la cual la ha reconocido como hija. Clarín llega a palacio poseedor de ese pequeño secreto, el de la aventurera y el alcaide, y de un enorme secreto: ese prisionero es el hijo y heredero del rey: su existencia es de todos desconocida... El poseer estos secretos puede llevarlo a la muerte, para quien los descubra hay pena de la vida, pero él, como periodista, va por el país desconocido con una suerte loca: ya los más grandes secretos han venido a él solos, al galope. Y es que el periodista es para el secreto un imán: lo atrae con fuerza incontenible, no reposa el secreto hasta que consigue que el periodista lo descubra.

Siempre bajo esa buena estrella, Clarín llega a la corte justo el día en que el rey Basilio resuelve revelar su secreto a los grandes. El rey es un astrólogo y el príncipe nació con un horóscopo atroz, y al nacer murió su madre. "Nació en horóscopo tal —dice el viejo coronado— que el sol, en su sangre tinto, entraba sañudamente con la luna en desafío y siendo valla la tierra, los dos faroles divinos a luz entera luchaban, ya que no a brazo partido". De tan desapacible espectáculo el astrólogo concluye que el príncipe iba a ser "el hombre más atrevido, el príncipe más cruel y el monarca más impío, por quien su reino vendría a ser parcial y diviso, escuela de las traiciones y academia de los vicios". Por lo cual envió al niño a que lo criaran preso en la torre, con cadena al tobillo desde que pudo soportarla y diseminó en el país la falsa nueva de que el heredero nació muerto.

Clarín está metido en el Palacio sin ningún derecho: no es noble, no es pariente del rey, no es servidor suyo, no es soldado, no es sacerdote, en suma no es "prójimo" de nadie: es el nuevo componente de toda sociedad futura, es los ojos y oídos del país, es el periodista. Allí se entera de que el rey planea una función típica de "Las mil y una noches". El príncipe será obligado a beber "un opio" y ya dormido le llevarán al Palacio, le meterán en la cama de su padre, y al despertarse lo tratarán como si fuera el rey. Sin darle ningún aviso previo, tal cual le meten al toro en la plaza para festejo de los toreros y ludibrio de las tribunas y tendidos. Si al despertarse, se demuestra de vivo genio —lo cual es lo más probable- le llevarán para siempre a la torre y será rey el duque de Moscovia, marido probable de la infanta Estrella, justamente el aleve seductor que tiró por la ventana el honor de Rosaura.

Hasta tanto, una vez que el misterio ha sido declarado, Rosaura y Clarín son perdonados: Rosaura se quedará de dama de la infanta y Clarín será echado a la calle, pues nada tiene que hacer en el Palacio.

5. El primer reportaje del mundo

¿Cómo que Clarín nada tiene que hacer allí? Tiene que hacer su oficio. Por lo pronto está repleto de noticias... es verdad que lo han querido echar y lo han apaleado, pero ya está de nuevo allí, dispuesto a dejarnos el mayor reportaje de este siglo. Consciente de su misión lo dice: seguirá en el Palacio porque "él tiene que ver cuanto pasa" y como en los ojos se le nota que es el noticiero de la corte, cuando Clotaldo lo encuentra le pregunta: "Dime Clarín qué hay de nuevo".

Y Clarín se lo dice, a borbotones: Rosaura ha resuelto vestir de nuevo trajes de su sexo, está nombrada dama de la princesa, se hace llamar Astrea, alardea de ser sobrina del alcaide, espera la oportunidad de su venganza, la regalan "como a una reina"... mientras él "se está muriendo de hambre" y usa el gran revólver del periodista: amenaza que si se sigue sin recordarlo, ¡contará cuanto sabe!"... y nadie de mí se acuerda / sin mirar que soy / clarín / y que si el tal clarín suena / podrá decir cuanto pasa / al rey...".

¿Qué otra arma puede esgrimir el periodista, que la de su conocimiento de todo cuanto pasa? En realidad, el periodista no tiene en el mundo otra fortuna que la noticia y su poder reside en que puede o no lanzarla al viento. Aquí asoma el grave problema moral: la batalla entre la situación personal del periodista y su deber de dar a conocer la noticia. Sin entrar a campo tan lleno de espinas, he aquí que no bien el periodista aparece ya está claro que es la noticia su trigal, su banco, su granero, su caja de caudales. Y como lo es así, el **alcaide** inmediatamente toma a Clarín a su servicio... para que no "suene".

Y cuando en el viejo palacio ocurre el drama singular, en el cual Segismundo duda del testimonio de sus sentidos, Clarín lo presencia. Ya desde entonces, nada podrá ocultarse a los ojos del periodista. Y cuando todos se pongan en contra del "prodigio" y se nieguen a comprender la oculta justicia en que se basan sus demasías, solamente estará a su lado Clarín: y desde entonces, el periodista será el hombre encargado de "comprender", de lo que se sigue que siempre estará del lado del débil. Y esa es, con frecuencia, la antinomia del periódico moderno, en el cual mientras su "jornalero" lleva el agua del lado de los injustamente humillados y ofendidos, sus propietarios querrán llevarla del lado de los ofensores. Surge entonces la difícil, nunca acabada disputa en la que la noticia, con frecuencia, pierde su forma.

¿Quién autoriza al periodista para estar presente en todo cuanto ocurre? Este es otro problema que surge en el viejo palacio y que Clarín, el primer reportero, resuelve de una vez por todas. Hallábase fisgando cómo el "prodigio" dormía en poder del "narcótico", cuando lo sorprendió un esbirro. Y allí está el diálogo que todo lo aclara: "¿Quién os dio licencia igual?" "Yo me la he tomado" "Y, ¿quién eres tú?" "Entrometido, y de este oficio soy Jefe". He aquí, repito, el grave problema, para siempre resuelto. El periodista es el "entrometido" y de este oficio es el Jefe: para verlo todo, para saberlo todo, no necesita del permiso de nadie. Aquí está la libertad que siempre habrá de cuidar el periodista: la que le permita ser el jefe de su oficio de entrometido. Si el dictador, si el partido, si el Estado le quiere arrebatar esta libertad y darle o no permiso, dejándole ver sólo lo que al dictador, al partido o al Estado convenga, entonces habrá muerto la libertad de información y el mundo moderno ya no estará completo. Donde el periodista deje de ser el entrometido por excelencia y por virtud de la licencia que él mismo se ha concedido, allí ha muerto ya la libertad.

Y cuando comienzan a pasar cosas increíbles, que vienen de la oscura sospecha que Segismundo tiene de la injusticia con que ha sido tratado, y da rienda suelta a su innata y nunca contenida violencia, Clarín se aprovecha del primer remanso y hace su reportaje, el inicial, con el que se estrenó en el mundo el arte de saber preguntando. Es un reportaje perfecto, el mejor de que tenga yo recuerdo, en toda la historia de la prensa. Hélo aquí completo, para vuestra admiración y regalo:

Clarín (a Segismundo):
—¿Qué es lo que te ha agradado
más de cuanto aquí has visto y admirado?

Segismundo: Nada me ha suspendido,
        que todo lo tenía prevenido;
        mas si admirarme hubiera
        algo en el mundo, la hermosura fuera
        de la mujer. Leía
        una vez yo en los libros que tenía
        que lo que a Dios mayor estudio debe
        era el hombre, por ser un mundo breve;
        mas ya que lo es recelo
        la mujer, pues ha sido un breve cielo;
        y más beldad encierra
        que el hombre, cuanto va de cielo a tierra...

Clarín lo ha logrado y ha merecido ya el Premio al mejor reportaje de la historia: aquí se lo reconozcamos.

6. El primer atentado contra la libertad de prensa

Poco más tarde se produce el primer atentado contra la libertad de prensa. El Príncipe Despojado ha sido para siempre proscrito: terminará su vida encadenado en la torre. Un "beleño" le ha sido administrado y los esbirros lo transportan a la que será su única y su última morada. El viejo rey astrólogo, con no confesado pero innegable alborozo, ve confirmado el espantable horóscopo y halla justa la sentencia que pronunció basado en tales cábalas. Y es entonces cuando el general Clotaldo cae súbitamente sobre Clarín: el militar es, por naturaleza, hombre de misterios y el periodista es quien los destruye. Son, por lo tanto, incompatibles desde su primer encuentro y el diálogo que entre los dos ocurre en el drama de Calderón es el mismo que desde entonces se viene desarrollando cuando militar y periodista se enfrentan. El diálogo no lo hemos olvidado. Señalando a Clarín, el general dice a los soldados: "Este es el que habéis de asir / y en este cuarto encerrar". Y Clarín, desde luego, seguro de su inocencia inmanente, pregunta: "¿Por qué a mí?" Y el general sentencia: "Porque ha de estar / guardado en prisión tan grave / clarín que secretos sabe / donde no pueda sonar".

El episodio viene completo: Clarín recurre, para recobrar, con la libertad, sus reportajes y noticias, a la falsa promesa. El periodista, en los casos extremos, es el comediante por excelencia. Así, se rinde: "Pues ya digo que seré / corneta y que callaré / que es el instrumento ruin". Pero el militar no le cree: el poder absoluto es desconfiado, la libertad y aun la vida de un hombre nada le importan: le importa sí que no se sepa el secreto. Y Clarín queda preso y puede, por lo tanto, junto con el rey-astrólogo y con el general-carcelero escuchar el inmortal monólogo del Despojado, en el que se expresa la verdad suprema, la que no debemos olvidar: "¿Qué es la vida? Un frenesí: / ¿Qué es la vida? Una ilusión, / una sombra, una ficción / y el mayor bien es pequeño; / que toda la vida es sueño, / y los sueños, sueño son".

Y muy pronto, cuando Clarín dialoga en su celda con los ratones y los llama jilgueros, se aclara que si ofreció rendirse lo hizo en procura de libertad, pero jamás dispuesto a cumplir las condiciones de rendición. Clarín, el periodista, no puede callar lo que sabe y lo dice: "...este silencio/no conforma con mi nombre:/ Clarín, y callar no puedo". No es sólo cosa de querer: es cosa de poder y el periodista no puede callar, aun cuando si, por excepción, lo quisiera. No se conforma el silencio con su nombre. No puede, aun cuando lo quiera.

7. Corresponsal de guerra

Surge, de pronto, la rebelión popular, que se dirige a reponer a Segismundo en sus derechos; convertido en capitán de su pueblo, el Despojado marcha sobre la capital, donde el viejo rey, el heredero espúrio y los nobles se hacen fuertes. Clarín va junto al grande, como Sancho al lado de su caballero andante. Segismundo ha aceptado entregarse a la acción con esas sus palabras inmortales:

"...pues que la vida es tan corta,
soñemos, alma, soñemos
otra vez...".

si bien es posible que, en esta ocasión, su alma grande no anhele despertar. La fuerza de las huestes de Segismundo es incontenible, y el príncipe sonámbulo dirige a sus hombres al triunfo con una seguridad mediúmnica y misteriosa. En toda la gesta, Clarín hace la parte brava del oficio, su capítulo heroico: el corresponsal de guerra. Y es en ese ejercicio en el que se encuentra con la muerte. Lo hace a lo grande: el pequeño trasgo desaparece, el hombre asume la grandeza del instante en la plena estatura de su dignidad.

Corresponsal de guerra, comienza con un reportaje, diríamos, descriptivo: narra la llegada, al campo del príncipe, de Rosaura, vestida de soldado. La aventurera ha cedido nuevamente a su temperamento generoso: ha desertado del campo de su padre, del viejo servidor incondicional del rey-astrólogo y encendida de amor por la justicia se ha ido a luchar en el campo del Príncipe Despojado, el campo del pueblo, el campo del porvenir también.

Clarín describe la llegada de la aventurera en el más enrevesado y barroco estilo cultista: es el estilo de su tiempo... el periodista escribe siempre en el estilo de su tiempo, porque es para su tiempo que escribe. En eso se distingue a fondo del historiador: el periodista escribe para hoy, el historiador lo hace para mañana.

Viejos amigos, Rosaura y Clarín hablan mientras la muerte vuela por los aires, buscando sus cuerpos. Clarín le dice que ha estado a todas horas "brujuleando" su muerte, "si me da, si no me da". Y de pronto se ve rodeado de la gente del otro lado, y tiene que fingirse partidario del viejo astrólogo y decir: "La libertad y el Rey vivan", porque como siempre la libertad es alzada como enseña por ambos combatientes. Clarín, corresponsal de guerra, no tiene que discutir, sino aceptar para poder estar presente, para poder luego dar testimonio, para llevarse consigo la noticia.

8. La hora final

Resuelto a cobrar a la ocasión todos sus réditos, Clarín busca el lugar más seguro y adecuado para mirar la gran batalla definitiva. Y cree haberlo encontrado: "...escondido desde aquí / toda la fiesta he de ver / el sitio es oculto y fuerte / entre estas peñas, pues ya / la muerte no me hallará / dos higas para la muerte".

El menosprecio de la muerte no solamente es típico del pícaro español, cuyo rol juega Clarín en el drama: es también típico del periodista, que metido en ajena pelea, pesca los detalles para dar fe de ellos en el reportaje. Ese menosprecio alegre de la muerte que caracteriza al tipo clásico del corresponsal de guerra, del reportero norteamericano de la era atómica, que hurga tanto en las batallas del Líbano como en las del Vietnam, en las guerras del Ayatola como en la trágica matanza centroamericana: "dos higas para la muerte".

El sitio escogido es perfecto: no sólo se ve desde él la batalla, sino que, por serlo tanto en su seguro se instalan, ya prácticamente derrotados, el viejo rey-astrólogo, su mimado Astolfo —el heredero usurpador que tiró por la ventana el honor de Rosaura— y el viejo general Clotaldo, al que la lealtad a su jefe convirtió en carcelero. Clarín lo ve y cuando se dispone a darse el delicioso banquete de la oculta escucha, he aquí que una bala perdida —el terrible brazo del destino— lo tiende en tierra, echando sangre a torrentes por una herida intapable. Y sobreviene entonces la grandiosa e inesperada escena de su muerte, pues este pícaro de comedia, este gracioso, muere con la más alta dignidad, con una muerte digna de Hamlet o del propio Segismundo.

(Disparan dentro y cae Clarín herido)

CLARIN: Válgame el cielo.
ASTOLFO: ¿Quién es
este infelice soldado
que a nuestros pies ha caído
en sangre todo teñido?
CLARIN: Soy un hombre desdichado
que por quererme guardar
de la muerte, la busqué.
Huyendo de ella encontré
con ella, pues no hay lugar
para la muerte secreto:
de donde claro se arguye,
que quien más su efeto huye
es quien se llega a su efeto.
Por esto tornad, tornad
a la lid sangrienta luego;
que entre las armas y el fuego
hay mayor seguridad
que en el monte más guardado,
pues no hay seguro camino
a la fuerza del destino
y a la inclemencia del hado;
y así, aunque a libraros váis
de la muerte con huir,
mirad que váis a morir
si está de Dios que muráis.

Alta y profunda dignidad, lección completa del arte de morir sin amargura, sin miedo, mirando cara a cara el final, esta que nos da Clarín tras de sus inútiles breñas, tras de su ilusorio refugio: "no hay seguro camino a la fuerza del destino", nos dice: "no hay lugar para la muerte, secreto". Y nos incita a no temerla, a no discutir su orden suprema, a saberla cumplir con el corazón entero y la mente lúcida: "mirad que váis a morir / si está de Dios que muráis".

Así como en la vida el periodista no es persona secundaria ni despreciable, así en el drama Clarín no es personaje oscuro y suprimible, ni gracioso metido para rellenar escenas. Es un espíritu ligero, de alcance profundo. Es el portador de los ojos y las orejas de la humanidad: el que capta el suceso, el que da la noticia. Con él, Calderón, escribiendo para la eternidad aun cuando su idioma fuese el de su época, ha pintado en Clarín un retrato genial: el del periodista eterno. El de todos los tiempos y edades. Con sus vicios y virtudes, con su excelsa calidad de oidor y de veedor del mundo. Con su ligereza aparente, con su humor feliz, con su fortaleza, su debilidad, su gloria y su infamia.

Y es por ello que Clarín muere con una dignidad desmesurada, aparentemente, para su aparente posición en el drama. En realidad, para quien examine la obra inmortal con profundidad, se dará claro que la altura de su muerte está proporcionada a su figura y su papel. Calderón, al darle la verdadera muerte que le tocaba, le está dando su verdadera importancia: esa importancia que, creciendo con los años, ha llegado a ser definitiva en los tiempos del menosprecio de la criatura humana y de su obra en la tierra, que son los tiempos que nos ha tocado vivir. El periodista es el testigo supremo y de su testimonio apresurado y con frecuencia heroico saldrá la austera historia de mañana, en la que la humanidad verá completo el rostro que tenía en el siglo XX, el más extremado de los siglos de su locura.

BIOGRAFIA DE LA ROSA

-Páginas para leer cuando nos sobre tiempo-

Arqueología de la rosa

Alegría de los amantes, delicia de los poetas, consuelo de los afligidos, golosina de los dibujantes, lujo de los pintores, ilusión de los músicos, ofrenda do loo piadosus, reina de las flores, guirnalda de las hermosas, símbolo teológico de la fugacidad de la dicha, la rosa ocupa en la historia de la humanidad un sitio incomparable. Desde que la miró un ser humano, la amable flor se incorporó a la vida de la estirpe y nos acompañó con su gracia de la cuna a la tumba, siendo serena, dulce, fugaz y siempre eterna, descanso de los ojos, regalo del olfato, perfecta compañera para todas las horas... Alguna vez nos hemos preguntado: ¿desde cuando hay rosas en el mundo? ¿Cómo nació la bella, la divina y tranquila? ¿Hace cuanto tiempo que llegó a la tierra la que sin esfuerzo conquistó el corazón humano, difícil corazón?

El hombre concibe las cosas conforme a su destino, y por ello no comprende ni lo infinito ni lo eterno. Para él, todo tiene principio y fin; todo comienza y acaba; todo nace y muere; todo tiene estatura y es tangible y si algo le es descrito como sin principio ni fin, más allá del común destino de nacer y morir, puede aceptarlo como fe, pero su razón lo rechaza porque la excede y no puede comprenderlo. La noción de Dios lo supera y la de eternidad lo hunde en una noche profunda. Y por eso, al mirar una rosa se pregunta desde cuándo hay rosas en el mundo y en qué tierra dichosa arraigaron por vez primera sus raíces. Arqueólogos enamorados de su tierna belleza lo han investigado y están en condiciones de responder con asombrosa precisión: la rosa está en el mundo desde hace treinta y cinco millones de años.

Realizando excavaciones en zonas cubiertas de esquistos en Montana, en Colorado y Oregón hallaron rosas fósiles y el Carbono 14, reloj de los milenios, les dio la impresionante edad. Sin duda ustedes al oírlo se ensombrecen, como me ensombrecí al pensar que los hombres más antiguos datan de hace seiscientos mil años y en América, tenemos la certeza de que los primeros habitantes de las cavernas, cazadores de pasos veloces, talladores de hachas de sílex, vinieron, probablemente de la mente de Dios, hace apenas treinta mil años. Sus rastros se han hallado aquí, en nuestro Ecuador, muy cerca de esta ciudad, mejor dicho dentro de ella, en El Inca y allá, en las llanuras de Nuevo México y Arizona, en los sitios arqueológicos de Clovis y Floson. ¡Hace apenas treinta mil años! ¡Y las rosas florecían desde hace treinta y cinco millones de años! ¿Para qué existían, si no había quien las mire? ¿Si no había quién en la gloria de sus pétalos y en la magia de su aroma consuele su alma triste? ¿Si no había quién adorne con ellas la cabeza de su compañera? ¡Treinta y cuatro millones con novecientos setenta mil años adicionales duró en América la soledad de las rosas, una desesperada soledad! No fueron los cien años de soledad que la estirpe de los Aurelianos padeció en Macondo, ciertamente.

Ya al borde de la historia, un arqueólogo inglés, Sir Leonard Woolley, ha registrado el más remoto contacto conocido del hombre con la rosa, al excavar una tumba real en Ur de Caldea, la ciudad donde comenzó su erranza el pueblo judío, cuando el éxodo de Abraham y sus rebaños. Ur de Caldea está en la Mesopotamia, donde estuvo el Edén, donde Adán descubrió que Eva era la más dulce de todas las manzanas. Hace cinco mil años el rey Sargón, monarca de Sumeria, que vivió y reinó alrededor del increíble año 2648 antes de Cristo, retornó a la suave cuenca del Tigris y del Eufrates después de su triunfal batalla contra un feroz enemigo que del todo ignoramos y sus fieles súbditos salieron a recibirlo danzando y entonando himnos y ofreciéndole los más amables dones de la tierra: ''vino, higos y rosas'', regalo sin igual del oasis. Lo dice una estela que fue hallada en su tumba y que Sir Leonardo descifró, siguiendo las ingeniosas reglas del viejo Champollion.

Y en un fresco pintado probablemente hace tres milenios, en la casi mítica ciudad de Knossos, la cuna de la civilización griega, en la isla de Creta, donde nació el alfabeto, se encontró la primera imagen de una rosa trazada por la mano del hombre: ella, la silenciosa, la divina, estaba aquí hace treinta y cinco millones de años y recién hace tres mil un hombre que adoraba su belleza, plasmó su imagen sobre un muro que palpitaba de dicha. Los doctores en rosas afirman, sin temor a errar, que se trata de una rosa gálica, de manera que asoma ante nosotros una verdad admirable, llena de misterio como todo lo que rodea a la belleza: milenios antes de que la Galia existiera, ya estaba en el mundo, regalando a los hombres su belleza, la rosa gálica. Los poetas de la antigüedad la llamaron simplemente la "rosa Rubra", la rosa roja que adornaba los escudos de los guerreros persas, protegiéndolos de la muerte cierta mil años antes de que la primera navidad, silenciosa e ignorada, ocurriese, en Belén de Judá.

Mitología de la rosa

¿Cómo nació la rosa?

Fue así, según la primera versión de Anacreonte, tierno poeta griego que vivió en el siglo VI antes de Cristo: "Cuando el mar creó a Afrodita y la dio al mundo centelleante de gotas de rocío, más bella que la dicha, la tierra, para no ser menos, dio nacimiento a la rosa, obra maestra de la naturaleza, majestuosa sobre su columna jalonada de espinas, dulce flor inmortal".

En su segunda versión, Anacreonte estima que la rosa nació de la espuma con la que el mar vistió a su obra maestra, la incomparable Afrodita, el día de su nacimiento.

Grecia, que todo lo explicó por medio de maravillosos poemas mitológicos, edificó toda una rutilante y contradictoria mitología de la rosa.

Insistiendo en la segunda versión de Anacreonte, se nos dice que herida Rea, la diosa de la tierra, por la insultante belleza de Afrodita dejó que de su seno brotara la rosa y desde ese instante hubo en el mundo otro ser tan bello como la propia diosa de la belleza.

Adonis, todos lo sabemos, era el mozo más bello de este mundo: hijo de Afrodita y del Amor, tenía que ser el hombre más bello bajo el cielo. Mas hubo un día sombrío y lamentable, en el cual lo devoró en la playa el monstruo insaciable, el que está siempre listo para destruir la belleza: de las heridas en el cuerpo hermoso brotó la rosa roja. Hasta ese instante no había en el mundo sino rosas blancas.

Es el poeta Bion quien nos cuenta esa historia.

Otra leyenda refiere que Zéfiro moría de amores por Flora, pero que la ninfa no tenía ojos sino para las maravillas vegetales. Llevado por el amor, el grácil fauno se trasmutó en rosa, para que viendo su hermosura Flora lo amara. Así ocurrió y de esos amores nacieron todas las rosas del mundo.

En el istmo de Corinto, lazo de unión entre las ciudades de la Grecia inmortal y cuna de sus grandes atletas, corre una leyenda sobre el origen de la rosa: había una hermosa reina que se llamaba Rodon —la palabra griega para decir "rosa"— y hubo día en que, a causa de la primavera, la persiguieron tres mancebos, locos de amor. Huyendo de su ardiente pasión, la hermosa se refugió en el templo de Diana, la helada diosa de la virginidad, pidiéndole protección y cuando los perseguidores creyeron darle alcance, ya no la encontraron: en su lugar estaba la rosa, la más bella de todas las flores, en la que había sido transformada por la diosa. En Corinto dicen que tal es el origen de la rosa y la explicación de su nombre.

Hay otra versión que liga también el origen de la rosa con la fría diosa de la virginidad, con Diana y su templo, donde el amor no tenía entrada: Rosalía, una hermosa doncella, consagrada por sus padres a Diana antes de nacer, no tenía más porvenir que envejecer en la helada virginidad dentro del templo, solitario como todo lugar donde no existe el amor. Pero, cuando creció la niña, su madre, al verla tan hermosa, olvidó que estaba consagrada a Diana y la prometió a un bello y robusto efebo. Tramaron la huida de la sacerdotisa, pero Diana los sorprendió y mató a la enamorada con una flecha de su arco infalible, que le atravesó el corazón. Cymedor, el triste amante, loco de dolor, se arrojó sobre el cuerpo ensangrentado de su amada, creyendo que sus abrazos y besos podrían devolverle la vida: la fría diosa se conmovió mirando esa agonía y cambió el juvenil cadáver en un maravilloso gajo de rosas rojas. Por lo tanto, la roja fue la primera rosa, la rosa de los dolores.

Hay otra versión del origen de la rosa que la relaciona con Dionisos, el dios de la alegría de vivir. El siempre joven dios iba de cacería por el bosque y en él, a solas, encontró a una hermosa ninfa apresada por una zarza fiera, llena de engarfiadas espinas. Al librarla el dios, la zarza desgarró la túnica de la hermosa, deján- dola desnuda y lastimada y Dionisos, compadecido del rubor de la doncella, hizo brotar mil rosas de la zarza y la vistió con ellas. La sangre que manaba de sus rasmilladuras tiñó algunos pétalos y ese fue el dulce origen de la rosa roja.

El color de la rosa siempre preocupó a los poetas: al parecer, en Grecia solamente había rosas blancas y rojas, pues sobre di- chos colores es que disputan las leyendas. Teócrito dice que el color de las rosas blancas procede del rocío que bañó a la recién nacida Afrodita, y el rojo del vino con el cual Dionisos bautizó a las rosas blancas, convirtiéndolas a la religión de la alegría, Ana- creonte, en cambio, dice que el color rojo surgió en la rosa un día en el cual las abejas, madres de la dulzura, picaron a Cupido, que recogía rosas —hasta entonces sólo blancas— en el jardín del Olimpo. Las que se tiñeron con su sangre son para siempre rojas. Casi todos los poetas están acordes en que la rosa blanca fue la originaria.

Los cristianos fueron duramente perseguidos por los roma- nos: echados vivos a las fieras y obligados a vivir en la oscuridad de las catacumbas, quemados vivos a lo largo de la Vía Apia y turturados con atroz sevicia. Y como los romanos —ya lo veremos más adelante— amaban a la rosa con delirio, los cristianos la asociaron con la maldad esencial de sus perseguidores, y la llama- ron "vil". Así, por un período de tiempo relativamente prolonga- do, hubo hombres que odiaron a la más hermosa amiga del géne- ro humano.

Se debió esperar hasta el siglo VI para que la rosa y los cristianos se reconciliaran. Mientras duró su exilio se escribieron los libros del Nuevo Testamento y por ello la rosa está ausente de sus páginas. La "rosa de Sharon" con la que Salomón compara a la esposa en el Cantar de los Cantares, fue identificada con otras flores por los exegetas de la Biblia durante los albores del cristianismo y San Juan, el poeta surrealista de Patmos, la identificó con el tulipán y todas las autoridades estuvieron de acuerdo en que la rosa del maravilloso poema de amor de la Biblia nunca fue una rosa. La que menciona Isaías fue reconocida como un narciso: para su aparente ceguera, los intérpretes se basaban en que, en las lenguas semíticas, la palabra para "flor" es la misma que para "rosa"... pero bien sabían que no era esta circunstancia, sino su resentimiento con Roma la causa de su extraña actitud.

Cuando la marcha del tiempo hizo que los victimarios fuesen, si no perdonados, por lo menos olvidados por las víctimas, cuando su impiedad y sus costumbres crueles y disolutas se echaron al subconsciente de los sabios, la Iglesia abrazó a la rosa con el mismo fervor, ansia diríamos mejor, con que esos antiguos pecadores la abrazaron. Fue, en la naciente mitología de los hijos del Crucificado, asociada con la sangre de las mártires, con las heridas de Jesús, con la corona de espinas, con la pureza de las doncellas y con la Santísima Virgen María, madre de todas las dulzuras. A ella, a la Siempre Santa y Pura, la llamaron "rosa mística" en esa declaración de amor inundada de amor, la más larga que han hecho los hombres, que es la Letanía.

Y así, desde niños sabemos que, en la infancia del Salvador, María era la más tierna de las pastoras, y las ovejitas venían, saltando, hacia su niño, trayéndole rosas de todos los colores, que la pastora ataba a su cayado o las colocaba en su sombrero: así la pintó nuestro Samaniego, derramando con sus pinceles ríos de dulzura. Y sabemos que cuando, tras la asunción, los cielos se adornaron para la coronación mística de la Siempre Pura, ante la Santísima Trinidad en la que estaba, a la diestra del Padre, el Crucificado que ella alimentó a sus pechos, el Arcángel Gabriel, el del anuncio, ofrendó en nombre de todas las creaturas ciento cincuenta rosas, dispuestas en tres guirnaldas, que la Rosa Mística recibió con sus manos, más puras que la luz: en esas guirnaldas las rosas rojas simbolizaban sus penas; las blancas sus alegrías y las doradas sus glorias.

De acuerdo con la leyenda sagrada la rosa estuvo presente en las apariciones de la Virgen en Lourdes, en Guadalupe y en Fátima, circundándola y marcando la ruta de sus pasos: fueron blancas, fueron rojas, fueron doradas y fueron también suavemente rosadas, como las mejillas de la Taumaturga. Por eso en las procesiones se siembra la ruta por donde debe pasar la Virgen con ríos de pétalos y las rosas adornan sus altares, rivalizando en ellos con la azucena y con el lirio.

Tan pronto como la Iglesia perdonó a la rosa y le abrió sus puertas, la hermosa flor se asoció con la plegaria y nació el rosario. Las oraciones de los santos más santos, pues aun en la santidad hay estaturas, al brotar de sus labios se convirtieron en rosas. Muchos de ellos contaban sus avemarías por el número de rosas que a sus pies quedaban al terminar la oración: así nació el rosario.

La rosa no solamente se asoció con la Santísima Virgen, sino con muchas santas: Santa Dorotea, Santa Rosa de Lima, Santa Isabel de Hungría y la pequeña Santa Teresita del Carmen de Lisieux. Cuando la nube de mosquitos se apoderaba del aire de Lima, Santa Rosa cantaba y los malvados bichos se convertían en fragantes rosas. Cuando Santa Isabel, la reina, iba a alimentar a sus pobres y se encontraba con el malvado rey, su esposo, que le había prohibido la alegría de la caridad, el pan que llevaba se convertía en rosas. Y cuando la pequeña Teresita fue canonizada, hizo llover rosas sobre quienes asistían a su gloria.

Un día, llorosos, los monjes sepultaban a un joven santo en el jardín de la Abadía de la Santa Cruz, en Poitiers y, de pronto, se convirtió en rosas doradas en las manos de los sepultureros.

Hoy se sabe que la rosa roja nació de las heridas que Jesús sufrió cuando los legionarios lo flagelaron atado a la columna.

Una dulce niña iba a ser quemada en una plaza de Belén, en tiempo de los sarracenos, porque se aferraba a confesar que Jesús era el único y que Alá tan sólo era una ilusión maléficamente creada por el diablo. Las llamas crecían, lamían ya sus pies delicados: ella oró y el Buen Dios dispuso que las llamas se convirtiesen en rosas doradas. Así fue: todos lo vieron y los más fieros y malvados genízaros en buenos cristianos se trocaron, pidiendo a gritos el bautismo.

Muchos teólogos declararon que la rosa, en el jardín del Edén, no tenía espinas. Las que ahora la defienden, altivas, desde el tallo brotaron a causa de la maldad del hombre, que ha ido creciendo a lo largo del tiempo. El pecado a que la serpiente indujo, ese pecado que dio a nuestros primeros padres el conocimiento del bien y del mal, la delicia del goce y la noche del arrepentimiento, ese pecado hizo brotar en el jardín las primeras espinas a la rosa.

Cuando los tres magos de Oriente, siguiendo a la estrella iban a Belén, llevando sus dones, hallaron a una niña que quería ir con ellos, pero no tenía nada que ofrecer. Al conjuro de su acendrado amor y en el clima de la Epifanía, se fue convirtiendo poco a poco en rosa, en rosa más bella que las de Sharón. Y los viejos reyes, con sus manos sabias, entregaron al pequeño, que sonreía al cuidado de la mula y el buey, la rosa – niña que brillaba, ardiendo en amor, mucho más que la estrella. Así fue: Rubén Darío, que estaba allí, lo vio y luego vino a contárnoslo.

Wolfgang Mezel nos ha relatado una leyenda medieval: las rosas, en un principio, solamente eran rojas. Fue María Magdalena, la hermosa pecadora, rosa roja ella misma, quien al llorar sinfín sus pecados sinfín, lavó los pétalos de las rosas rojas y dio nacimiento a las blancas. Por eso, el 20 de junio, día de Santa María Magdalena, se la celebra con grandes ramos de rosas blancas, las que nacieron de su sincera contrición.

Los poetas árabes nos relatan el origen de la rosa dorada: nació de una mentira. Cuando el Profeta Mahoma libraba la guerra contra los judíos de Koraiza, una de las primeras entre los hijos de Ismael e Israel, Aisha, la mujer que prefería su corazón lo traicionó con un joven persa que estaba conociendo el desierto de Arabia. El Profeta lo presintió, pero quería certidumbre, como la quiere todo corazón enamorado. Ya en Medina, mortificado por la duda, no podía dormir y una noche, en medio de su insomnio, recibió la visita, siempre deseada, del ángel Gabriel. El Profeta le dijo que deseaba estar cierto, saber si había sido traicionado o si Aisha era inocente. El ángel le dio el medio: debía llevarle a la amada inconstante un ramo de rosas y pedirle que lo arrojara al estanque: si las rosas cambiaban de color, ella le había sido infiel. Así fue: sin poder sonreír, con el corazón en la garganta, el Profeta le dio a su amada el más bello ramo de rosas rojas que produjo la generosidad del oasis: y le pidió que lo arrojara al estanque. Cuando el agua tocó los pétalos, ocurrió un temeroso milagro. Las rosas rojas se trocaron en doradas y el profeta supo que su amada le era infiel. Desde entonces, la rosa dorada es, en Arabia, símbolo de la peor de las traiciones: la traición de la mujer que el corazón prefiere.

El viaje por la mitología de la rosa casi no tiene fin posible, pero mi tiempo sí lo tiene. Por ello, voy a terminarlo con dos mitologías más, ambas de América.

La *rosa chiroki* (cherokee Rose), símbolo heráldico del Estado de Iowa, es la rosa de las praderas de North Dakota, que crece silvestre. Se sabe su origen: un bravo indio Chiroki, Tuswenahi, al retornar de su diaria tarea de cazador trampero, descubre que su tolda ha desaparecido junto con su muy amada y bella compañera, Dowansa. Desde una zarza se le aparece el Nunshi, duende protector de su clan y le dice que para salvar a la joven, en peligro de caer en las manos salaces de los indios seminoles, sus enemigos de siempre, la transformó en una nueva flor, nunca antes vista y se la muestra: es una rosa blanca con los bordes dorados, que al tocarla Tuswenahi, se derrama en perfumes. El indio llora, la besa y hace observar al Nunshi que ahora, que ella es una flor, también está indefensa: el duende mueve las manos y en el tallo de la nueva flor brotan las espinas.

La *rosa Grant* (Grant Rose) fue un milagro: asesinada por los indios la familia Grant, familia de buenos cristianos trabajadores, la sepultaron en la pradera y como ocurre con la tumba de los hombres honrados, fue olvidada. El tiempo desintegró la humilde losa y el olvido fue el aire que vibraba en su torno. Pero Dios no quiso que ese fuera el fin de sus piadosos hijos: y en donde antes estaba el olvido, brotó la nueva rosa, la rosa Grant, que ahora engalana los más nobles jardines. Los indios que mataron a los Grant fueron también los seminoles, en el terrible malón del año 1835.

La rosa en la historia

Ya en el umbral de la historia, Homero nos cuenta que Aquiles llevaba una rosa pintada en su escudo: esto sería cerca del año

900 antes de Cristo. El poeta, luego, abandona la historia y en plena mitología nos dice que Afrodita, que amaba a los guerreros, embalsamó con esencia de rosas el cadáver de Héctor, el bien llorado.

Herodoto, dejando a un lado las bellas leyendas, dice que el rey Midas, aquel que convertía en oro todo lo que tocaba, llevó a Grecia la rosa desde el Asia menor, nombre moderno que damos a la Anatolia, más o menos el años 700 antes de Cristo: el historiador vio una rosa de cien pétalos brillando en su jardín. Midas aclimató la bella flor primero en la isla jónica de Kithyra y luego en la Grecia continental. Los griegos la llevaron a la Magna Grecia, o sea a Sicilia y al sur de Italia, al norte de Africa y a España. De ésta los romanos la llevaron a Francia y a Inglaterra, a la cual llamaron Albión, según Plinio, porque en ella abundaban las rosas blancas. Por el año 400 antes de Cristo, la isla de Rodas acuñó monedas con la bella flor. Rodas es un nombre que procede de Rodon, la palabra griega para rosa y en realidad su nombre significa nada menos que la isla de las rosas.

En Roma la rosa ya no es leyenda sino historia: los romanos la amaron sobre todas las flores. En la ciudad eterna había rosas por todas partes, sobre los pórticos, en los pisos, lechos, cojines y colchones y aun a estas comodidades las rellenaban de pétalos. Todos estaban, literalmente, tendidos en lechos de rosas llevando guirnaldas de rosas en las cabezas. Agua de rosas, esencia de rosas, vino mezclado con esencia de rosas para prevenir la embriaguez prematura, fuentes con pétalos de rosa flotando. Mientras Heliogábalo camina, doncellas de cabellos coronados con rosas lo preceden regando el camino de pétalos: la bestia imperial camina hollando rosas. Y en la cocina, pudín de rosas, gelatina de rosas, miel de rosas. Festones de rosas en los pórticos, lluvia de pétalos al entrar en los atrios, ramos de rosas en preciosos jarrones decoran los triclinios, los templos, los palacios, el coliseo y el hipódromo. Lluvia de pétalos sobre los triunfadores, coronas de rosas para sus cabezas; la rosa desbancando al laurel, Baco venciendo a Marte.

Tanto la prodigaron que Catón escribió urgiendo la dignificación de la rosa.

Cuando la nación está en peligro, el Senado prohíbe las guirnaldas de rosas. Como el senador Lucio Flavo no acata la orden, lo llevan a la cárcel, no obstando su alta jerarquía.

En un principio, se importaba las rosas desde Egipto: ignoro cómo se hacía para que llegaran frescas y lozanas; pero luego las cultivaron con singular éxito y florecían dos meses antes que en las orillas del Nilo. El centro de producción fue Pestum, donde Plinio compiló una lista de hasta cien variedades. Llamaban "rosarium" al jardín de rosas para placer de los ojos, en torno de una casa y "rosetum" al plantío de rosas con fines de comercio.

Se hizo costumbre que los hombres llevaran siempre guirnaldas de rosas y que adornaran con rosas sus carros y literas. Bajo el emperador Augusto se adornaban con rosas tanto las mesas como las tumbas, pero la rosa fue predominantemente un símbolo de alegría. Los amantes junto con sus juramentos y besos intercambiaban guirnaldas de rosas.

Los filósofos, seres sombríos, identificaron la rosa con la decadencia. Séneca —ciertamente un español de almendra amarga— censuraba a los sibaritas por amar en lechos cubiertos de rosas y Cicerón —orador torrencial, no siempre verídico— acusó a Varrón de vivir consagrado a la lujuria y lo describió recorriendo Sicilia ebrio en una litera adornada de rosas, donde le hacían compañía una moza y un efebo igualmente hermosos.

Suetonio dice que Nerón gastó en rosas, para adornar el salón de un banquete, un equivalente —calculado al día, con devaluación y todo— en ocho mil libras esterlinas. Horacio que, como buen poeta era hombre práctico —algún día se les hará justicia y se averiguarán cuán prácticos son, por lo regular, los poetas—, se queja de que las mejores tierras labrantías se dedican al cultivo de las rosas y no al olivo y al trigo.

Muerto ya el Imperio Romano a manos de los bárbaros, reconciliada la Iglesia con la rosa, los cruzados al volver trajeron a Europa nuevas variedades de rosas: los sarracenos eran devotos de la reina de las Flores. Pronto, lo fueron los monjes y en las treinta y siete mil abadías de Europa las rosas reinaron en los jardines, mientras eran utilizadas, además de alegrar la vista y el olfato, para una robusta industria de perfumes, ungüentos y bálsamos mágicos.

Y en las maravillosas iglesias góticas, que se alzaron del suelo de Europa como oraciones en piedra y cristal, los mismos cruzados introdujeron las "rose Windows", las grandes rosetas de vitral que presiden sus naves y son poemas maravillosos en luz y color, sombras y misterio. Las habían visto en la mezquita de Ibn Tauloum, en El Cairo y fácilmente se extendieron desde Francia, en el siglo XIII, desde Reims y Chartres, por toda Francia, Alemania, Italia, España... cruzaron el Canal y realizaron maravillas en la Gran Bretaña: York, Westminster, Lincoln...

Los griegos consideraron a la rosa símbolo del silencio y los romanos colgaban una rosa en la puerta de un aposento para indicar que todo cuanto se converse allí era confidencial. En el siglo VI se grabó una rosa en los confesionarios, garantía del secreto sacerdotal. En las Cámaras del Consejo de los Reyes, durante la Edad Media y el renacimiento, la rosa cuidaba del secreto tanto como los puñales. Y en el lacre que sellaba los pliegos secretos, una rosa era estampada junto con el sello del Gran Canciller.

En ningún país como en la Gran Bretaña ha sido la rosa símbolo, adorno y factor histórico. La Guerra de Sucesión que ensangrentó las islas tras la muerte de Enrique VI, en 1455, fue librada bajo el símbolo de la rosa y se llama así, la guerra de las rosas en la historia. Las casas contendientes, Lancaster y York, se simbolizaban la una por la rosa roja y la otra por la rosa blanca. Bajo ellas, una espesa corriente de sangre fluía hacia la muerte.

Los ingleses trajeron su simbología de la rosa a los Estados Unidos, y ahora tres estados, Georgia, Iowa y Dakota tienen a la amable flor como su emblema. Es la rosa chiroki, como ya se dijo, en sus variantes, llamada por algunos la rosa de las praderas. Roja, blanca con bordes dorados o simplemente blanca, es la rosa americana, no fue traída por los conquistadores.

Durante la conquista del Perú, los hombres de Pizarro descubrieron que los incas cultivaban las rosas y bien sabemos que cuando Cortés atormentó a Cuautémoc, en pos de tesoros, el emperador azteca, dirigiéndose al señor de Tacuba, sometido a igual suplicio, que desfallecía, le dijo: "¿Acaso estoy yo en un lecho de rosas?".

Desde luego, los españoles trajeron, junto con el trigo y el olivo, múltiples variedades de rosas. Un hombre de Europa no puede vivir, en ninguna parte del mundo, sin la rosa. Ella es parte de su vida misma, todos lo saben.

En la China, con el título de "muy honorable", la rosa ocupó entre las flores un sitio dominante y Confucio, el filósofo, que murió hacia el año 479 antes de Cristo y cuya fuerza es tal, a través de la historia, que Mao Tse Tung no pudo vencerla en la "revolución cultural", escribió que, en su tiempo había seiscientos libros sobre la rosa en la biblioteca del Emperador: cuando, tras siglos de aislamiento, la China se abrió para el mundo, los hombres de occidente hallaron en ella novedades admirables, rosas nunca vistas, que entraron gozosas, muy honorablemente al patrimonio universal de la belleza.

Se dice que en la Abadía de Hildenstein, en Alemania, se halla, viva la rosa más vieja del mundo, una rosa de leyenda. La plantó, según ella, Carlomagno, el de la barba florida, con su propia mano hace mil años. Como nunca están acordes los historiadores, las leyendas y los poetas, hay quicnes cuentan la historia de distinto modo. Nada de Carlomagno, sería su hijo, el poco feliz emperador Ludovico Pío, quien, cazando ciervos en la selva de Hildenstein, debió pasar bajo su fronda la noche. Se armó la tienda del monarca y delante de ella una más pequeña que sería en la tiniebla su oratorio. El altar tenía como fondo un arbusto espinoso, del cual se colgó un crucifijo con una cadena de oro, y allí oró el Emperador antes de entregarse al sueño, porque también los grandes y poderosos duermen, no diré que muy seguido pero sí de vez en cuando. La mañana siguiente todos vieron que en el arbusto había reventado un maravilloso gajo de rosas: milagrosamente el espino salvaje se había trasmutado en rosal. El Emperador ordenó construir en el sitio del milagro una Abadía y dejar intacto el rosal en el atrio de la Iglesia: allí está todavía y sigue floreciendo, milagroso y magnífico, cargado de siglos y de poesía, inmortal como la fe.

La rosa en la heráldica

El papel de la rosa en la historia queda registrado, principalmente en la heráldica, o sea en el arte de los emblemas. Allí, en divisas, en escudos, en crestas y en banderas la divina flor registra su paso a través de los siglos, simbolizando el idealismo, el orgullo, la voluntad o las ilusiones de los hombres.

Ya sabemos que Aquiles llevaba una rosa en su escudo hecho de piel de toro templada en un aro de bronce. Los guerreros persas iban a la muerte con la rosa repujada en sus petos de piel de camello.

Fácilmente hizo la rosa su entrada en la heráldica europea, durante el siglo XI, con la boga de la caballería galante, de los caballeros sujetos a la voluntad de una dama, en los torneos y en las duras batallas. No sólo los caballeros, también los juglares, los felibres, los maestros cantores en los juegos florales, donde la dama besaba primero la rosa y luego se la daba al vencedor de la amable justa, en la que sólo vivía la belleza y no se derramaba la sangre. Bordada en los petos, en los arreos o repujada en los escudos, la rosa competía con el águila bicéfala, con el león rampante, con la serpiente, con el ciervo, con los temibles animales totémicos, con el sol, las estrellas, los signos del zodíaco. Representaba al amor, a la alegría de vivir, a la ilusión, nunca enemistados con el valor y la gloria.

Los diseños heráldicos iniciales dan una rosa de cinco pétalos, fácil trasunto de la rosa silvestre que jalona los setos de Inglaterra. Luego, siempre complicando las cosas, como es nuestra costumbre, viene la doble rosa, que procede de la llamada rosa Tudor, y que surgió en la heráldica como emblema de las casas reales que se disputaban el trono durante la guerra dinástica de Inglaterra, de la cual ya hemos hablado. Sigue la rosa—en—sol, siempre blanca, que casi no vale describir: los pétalos, dispuestos en rayos de sol, brillan en la divisa y Shakespeare la ilustra cantándola en su "Enrique IV". Más tarde, la "slipped rose", la que está dominando la corona imperial de Inglaterra, la que le diseñaron a la reina Victoria para su corona colonial en la India. La rosa heráldica tiene todos los colores del mundo: rojo, verde, azul, negro, púrpura, oro, plata y su diseño, dentro de los tipos señalados, llega al infinito.

La heráldica, una vez que se apoderó de la rosa, ya no la soltó fácilmente. Pasó a la guirnalda: un círculo de cuatro rosas, en el cual se tocan por los pétalos y las enlazan sus hojas: brotado de las guirnaldas con que las damas ornaban sus cabezas y traspasaban a sus caballeros, su diseño sirve para coronar escudos en lugar de bravos yelmos y airosas cimeras empenachadas.

El Papa creó la Orden de la Rosa de Oro, una condecoración que ha sido, además, reconocida como obra maestra de la joyería italiana, que ilustró Benvenuto Cellini. La orden fue creada por el Papa León IX tan lejos como en 1049 y, como toda condecoración, nunca fue dada con total acierto. Así, en alguna ocasión, se equivocaron dándosela a Enrique VIII de Inglaterra, el hombre que consumía reinas como si fuesen cigarros. Y en otra, a doña Isabel II de España, la "reina castiza", de cuyas costumbres estamos sabrosamente enterados gracias a Valle Inclán.

Tenemos también la "rosa—cruz" emblema de una fraternidad secreta, llena de implicaciones místicas y mágicas, de índole extremadamente dudosa, tema de novelas inquietantes —hay una de Lord Bulwer—Lytton, el famoso autor de "Los últimos días de Pompeya", y otra de Shelley y su simbología se remonta a los días en que la alquimia buscaba la fabricación del oro o la prolongación de la vida. En su emblema una rosa reposa sobre una cruz —la vida efímera sobre la perennidad del dolor y está encerrada en un círculo formado por una sierpe que se muerde a sí misma la cola, símbolo clásico de la eternidad.

Y, finalmente, tenemos la rosa sobre el puño, la alegría tras la lucha, el símbolo clásico del socialismo francés; Mitterrand su jefe llegó al poder sobre el voto del pueblo, con una rosa roja en la mano.

Usos mágicos y prácticos de la rosa

El hombre no se resigna a que los seres y las cosas sean solamente bellos: quiere, además, que sean útiles. El poeta adora a su dama, le pide que sea bella, para cantarla y le pide que sepa cocinar, para casarse con ella. Luego le escribirá sonetos cuidadosamente escandidos mientras ella, cuidadosamente también, le repasa los calcetines. Así es la vida: Dios nos hizo así, no nos sorprendamos ni nos quejemos. Además, nada hay contra una exquisita comida elaborada por hermosas y muy amadas manos.

Como con la dama, con la rosa el hombre es, a un mismo tiempo, sutil enamorado y muy práctico usuario. Y de ello se sigue que la rosa sea ingrediente central de algo tan importante como

la miel de rosas
el budín de rosas
perfume de rosas
agua de rosas
aceite de rosas
jabón de rosas

y se la ha usado en la cocina y en la farmacia y, además, en la preparación de filtros de amor y otras brujerías —en años no muy lejanos.

Si bien los romanos ya extraían a la perfección el perfume de la rosa y fabricaban con él lociones y bálsamos, sus recetas se han perdido y la que nos queda se debe a Avicena, el médico árabe—español tan conocido, filósofo y poeta, además. Parece que los romanos —y quién dice romanos, dice griegos—maceraban los pétalos de la rosa en agua, en aceite o alcohol, hasta que se transfiriera el perfume a esos medios. La receta de Avicena se hacía con la rosa centifolia, que es la más olorosa y abundante y que aquí la gente, siempre tan bromista, llama rosa de repollo o rosa monstruo. El agua de rosas era extremadamente popular en la Edad Media, tiempos en que la gente no se bañaba con frecuencia y precisaba de perfumes para mejorar en algo la situación. ¡Oh esa recua de quinientos camellos, cargados de odres llenos de agua de rosas, que Saladino envió a Jerusalén en 1187, para purificar de olores la Mezquita de Omar!

Se dice que las rosas que se cultivan en Bulgaria son las más fragantes: sea o no verdad, es Bulgaria, desde la Edad Media, la mayor productora de bases de perfumes con olor a rosas.

En la India descubrieron la forma de fabricar el aceite de rosas en forma fortuita, tanta como aquella en la que el doctor Fleming decubrió la penicilina. Solamente que, tratándose de la rosa, el descubrimiento fue fortuito y romántico. Estaban enamorados el Gran Mogul y la princesa Nur Mahal. Era en 1612. Por las tardes, bogaban los dos solos sobre un pequeño lago, que sus esclavos cubrían de pétalos de rosas. No estarían esa tarde los enamorados tan cariñosos como de costumbre, cuando pudieron percatarse de que una película de aceite de rosas se había formado, por efecto del calor actuando sobre los pétalos, y recubría el agua del lago. Por orden de Nur, recogieron esa suave piel del agua y la pusieron en preciosas redomas, sabiamente selladas. Se había descubierto un exquisito perfume. ¡Es increíble para cuanto sirve el amor! Nur Mahal fue inmensamente amada y cuando murió, para llorarla el Gran Mogul construyó el Taj Mahal, el más hermoso monumento levantado al amor en el mundo. El perfume del aceite esencial de rosas es tal, que al tocar un pañuelo con un alfiler previamente mojado en él, lo retiene por varios meses, aun cuando fuera lavado. Una onza de aceite esencial exige 60.000 rosas y vale cinco veces su peso en oro... 25 onzas de oro.

Desde la antigüedad la rosa está ligada al amor y al encanto de la amada... y por tanto, a la magia, inclusive a la sombría magia negra, pues a ella hay que recurrir para obtener los indispensables filtros de amor. La hechicera Mytris, la maga egipcia del amor, antes de morir dispuso como debían sepultarla, y cuando ocurrió su fin se cumplió su voluntad: se la cubrió con un sudario bordado de rosas y sobre ella, en lugar de la basta tierra gris, se puso una alfombra de rosas de un metro de espesor: como era de esperarse, la virtud de tantas rosas penetró en el cuerpo de la hechicera y a la hora del alba, la hora en la que los rosales desabrochan sus botones, la maga resucitó. Lo han contado quienes lo vieron.

Sabido es que si el primero de junio una moza enamorada se provee de un renuevo de romero, una rosa amarilla, una rosa roja, una rosa blanca, un narciso azul, nueve largas hojas de yerbabuena y un brote de ruda y los pone todos, cogidos por una vincha, en su cabello, conquistará a quien ama. Y si antes ha rociado su ramillete con la sangre de una paloma blanca y un ápice de sal refinada y luego lo ha puesto bajo su almohada, tendrá un sueño que le mostrará con toda claridad su pervenir. Y si un mozo tiene mala suerte en el amor, que se aplique un pétalo de rosa roja sobre su triste corazón: seguro que su suerte cambia.

Si una muchacha es tan feliz como para tener a un tiempo varios pretendientes y quiere saber cuál será su esposo, debe tomar un pétalo de rosa por cada uno de ellos, escribiendo en cada pétalo la inicial de uno de sus adoradores y los pondrá a flotar en una fuente llena de agua: el último en hundirse, ése tiene el nombre de quien será su marido. Es probado.

Entre las recetas de filtros amorosos que hasta ahora han sobrevivido es probada la siguiente, que viene desde Alemania. Lleve consigo tres rosas rojas oscuras, tres rosas rosadas y tres blancas por tres días, tres noches y tres horas: llévelas puestas sobre su corazón, turnándolas, de tal manera que nunca se vean entre sí. Diga entonces tres padrenuestros, tres salves y haga el signo de la cruz tres veces. Luego, sumerja las rosas, por tres días, tres noches y tres horas en una redoma de boca ancha llena de vino rojo y sírvale una copa de este vino al objeto de su amor, quien, si no sabe la procedencia del licor, caerá en el conjuro y se sentirá inflamado de amor: lo amará —o la amará— con toda su alma y le será fiel por todos los días de su vida. Este filtro se basa exclusivamente en la virtud de la rosa reforzada por su amor, por su fe y su oración y por la virtud sacrosanta del vino.

Hay un pequeño paso del filtro de amor a la medicina y la rosa lo dio, en tiempos muy lejanos. Plinio describe 32 medicinas preparadas con rosas. En el Siglo XVIII, tan cerca de nosotros, la rosa curaba 33 enfermedades, algunas muy serias, desde el estómago hasta la cabeza. Hoy, la rosa se ha arrepentido de alimentar las farmacias y ya no cura ninguna enfermedad. Antes de que se declare en huelga, su color era decisivo para obtener éxito y había que pedirle al doctor que decida sobre qué rosa era la adecuada para tal enfermo: si roja, si blanca, si dorada. Plinio dice que le consta que la rosa cura la rabia, y a mí me parece que así debe de ser. En la Edad Media, la rosa era el único remedio universalmente aceptado para la peste. Y el herbolario Walafrid Strabo, tan famoso, dice que la rosa sobrepasa a todos los vegetales en poder curativo. ¡qué tiempos aquellos!

Y es así que de nuevo llegamos a la rosa gálica, que era la más curativa: vino de Damasco y fue llevada a Francia por el rey cruzado de Jerusalén, Teobaldo IV, duque de Tierra Santa: la sembraron en Provins, cerca de París y este sector fue por seis siglos centro de una próspera industria farmacéutica y cosmética. Solamente en 1860, me informan, 36 millones de kilos de pétalos de rosa gálica salieron de Francia hacia los Estados Unidos para ser usados en la confección de cosméticos.

Los romanos compusieron una jalea para reanimar los cerebros, y tal vez no estaría demás ensayarla nuevamente, porque he oído decir que ahora los cerebros se hallan muy decaídos. Tome usted una libra de pétalos de rosa y póngalos al fondo de una cacerola y vierta encima un caldo de sustancia. Luego, cuele el jugo y tome cuatro sesos de ternera, bien cocidos, sin piel ni nervios. Póngalos en la olla, rociándolos con pimienta blanca. Rompa sobre ellos ocho huevos, añada un vaso de vino, uno de pasas y algo de aceite de oliva. Cuando la mezcla se haya cocido a fuego lento, déjela cuajarse y sírvase: es una jalea y la receta la firma Claudio Apicio el gastrónomo. El mismo maestro nos enseña a hacer vino de rosas, ponga a macerar en vino pétalos de rosa por siete días. Repita la operación con nueve pétalos, espumando los anteriores. Téngalos allí otros siete días. Repita una tercera vez. Luego añada cantidad conveniente de miel. Tenga cuidado de usar los mejores pétalos, el mejor vino, la mejor miel.

Allá por 1695 la reina Henrietta María, de Inglaterra —es la reina a la cual querían salvar los tres mosqueteros: recuerden la famosa cabalgata que termina en La Rochela— compiló un libro de recetas de cocina, todas probadas por ella. Hay allí una para hacer caramelos de rosa en la que se pone huevos batidos sobre pétalos frescos, se añade goma arábica y azúcar en cantidad suficiente y se lo deja secar. En realidad este caramelo no es para comerlo, sino para decorar pasteles ceremoniales, como tortas de bodas.

Un jarabe de frutos de la rosa hacían los antiguos europeos usted sabe, cuando naturalmente la rosa se muere, se desarrolla con sus escombros un fruto gordo, ovalado: los antiguos europeos tomaban esos frutos, los lavaban, los ponían en una olla llena de agua y los cocían hasta que estaban suaves y luego los reducían a pulpa en un mortero. Esa pulpa la ponían en una bolsa de tul y dejaban que escurriera el jugo. Volvían a hervir la pulpa y repetían el procedimiento. El jugo era adicionado con azúcar hasta que se producía el jarabe: dos libras de azúcar por cuatro de frutos. Cuando tenía la densidad conveniente, y lo embotellaban. Era bueno para todo.

El potpurri de rosas es fácil de hacer y llena de extraño perfume toda la casa. Pétalos recientes —de botones aún no abiertos— son puestos en una vasija. Se añade una taza de tomillo, algo de romero, la piel de una naranja, un poco de hojas de laurel, media onza de clavo de olor en polvo y una cucharada de café. Los ingredientes se ponen, mezclados, en una escudilla desde la cual esparcen su perfume.

Un tiempo hubo en que la moda mandaba llevar al cuello una bolsita de tul conteniendo una mistura de pétalos de rosa, clavo de olor y canela. También se ponía una bolsita con igual contenido dentro de la almohada, para aromar el lecho y los sueños. Es importante que los sueños huelan bien. La práctica se originó en el Egipto faraónico y Cleopatra la llevó a Roma.

El jabón de rosas parte del aceite esencial de rosas, desde luego y exige como base el más puro jabón blanco, totalmente inodoro, para que pueda ser portador de perfume tan delicado. La crema de rosas pide, igualmente, la cera virgen más pura como base.

¿Y nosotros?

¿Qué hacemos nosotros con la rosa, además de ponerla en nuestros floreros?

Recurro a Mr. Alan Withe, el autor del hermoso y utilísimo libro "Hierbas del Ecuador", que ha publicado Libri Mundi.

Mr. Withe dice que en nuestro país hay más de cien especies de rosas y que en los jardines populares dominan la rosa centifolia y la damascena. Añade que las buenas comadres usan de la rosa como laxante suave, astringente, estomático. Entre nosotros la rosa roja común ha sido considerada siempre como planta medicinal. Se toma una infusión de pétalos de rosa para el dolor de cabeza, para curar los mareos y como tónico para el corazón y el sistema nervioso. La fruta —y esto es ya científico— se estima una excelente fuente de vitamina C. El aceite de rosa se utiliza como agente rejuvenecedor y como regulador del ciclo menstrual.

Sigue informando Mr. Withe: "Una decocción de pétalos sirve para tratar las heridas de la boca y es útil como enjuague y como loción para los ojos. Se puede hacer una mermelada de pétalos de rosa para dar sabor a las tortas. El fruto, si es preparado correctamente, cede una mermelada excelente que es muy nutritiva por su alto contenido de vitamina C. También se puede hacer con el fruto una sabrosa sopa de rosas".

"Los pétalos a secarse —dice Mr. Withe— deberían ser recogidos antes de que se abra la flor. Para una buena infusión debe usarse dos cucharaditas de pétalos de rosa por cada taza de agua. El agua de rosas se hace hirviendo pétalos frescos en agua, teniendo cuidado de condensar el vapor en otro recipiente para obtener el perfume buscado. El extracto frío de rosas se obtiene dejando remojar los pétalos en agua por 48 horas, removiéndolos de cuando en cuando".

Como ustedes lo pueden ver, si en el escenario mundial la rosa ha renunciado todo propósito curativo y farmacéutico, entre nosotros, buena amiga, sigue no sólo alegrando la vista y el olfato, sino curando los males de los ecuatorianos.

— — —

El tema de mi ensayo, en este instante, se muestra tan enorme que me domina, me paraliza y me detiene: no se puede seguir a la rosa en los campos de las bellas artes: pintura, escultura, grabado... en la jardinería, su propio reino, parte emérita de la arquitectura; en la poesía de todas las lenguas; en la moda; en el arreglo del hogar; en los ritos fúnebres; en la decoración de los matrimonios, de las iglesias, de toda vida social; en la política, desde que se volvió el símbolo de los social-demócratas; en el crimen, pues por allí también camina; en la perfumería... No, no es posible: para ello se necesita especialistas, este ensayo debería convertirse en una enciclopedia. Amateur incorregible de todo lo que es bello, ya no puedo entrar por todos esos campos: ni mis conocimientos ni mi audacia ni mi tiempo —que debo usar principalmente en ganar mi vida y la de mi tribu— me lo permiten. De modo que, prometiendo una excursión en pos de la rosa por la poesía española, pongo un punto final que, al principio, parecía fácil pero que poco a poco se iba volviendo imposible.

LA ROSA EN LA POESIA CASTELLANA

1. Milagro: del dolor brota la belleza

La rosa hace su entrada triunfal en la pocsía española allá en el siglo XIII, en la edad de hierro de la caballería, cuando nace España en clima de infieles y cruzados, cuando el idioma es aún niño y acaba de lanzarse al mundo, arrancándose trabajosamente de las sayas de la madre latina. La poesía pugna por evadirse de su capullo: Gonzalo de Berceo es aún mozo, los campos de Castilla tiemblan bajo el galope de las mesnadas del conde Fernán González y en el robledal de Corpes se escucha lamentarse a las hijas del Cid. La rosa entra en la poesía llena de gloria, para ya nunca abandonarla. Lo hace en un libro misterioso, cuyo autor, que desconocemos, ansioso de romper la machacona cárcel de la quaderna vía, lo intenta con fáciles versos de nueve sílabas dispuestos en pareados. Se extiende sin temor —total, ¿qué vale el tiempo?— por mil cuatrocientos cincuenta y un versos relatando la historia de María Egipcíaca, la hermosa pecadora que se convierte en santa: la rosa llega a nuestra lírica simbolizando el milagro que cambia por la eternidad el destino de una mujer. Lo dice el lejano poeta:

...e fue maravillosa cosa
que de la espina salió la rosa...[1]

---

1 Vida de Santa María Egipcíaca. Edición de Foulché Delbosc, 1908. (Textos Castellanos Antiguos, Tomo I).

Y sigue siendo así: en el campo de nuestra poesía, la rosa no solamente simboliza un milagro, sino que es un milagro en sí. El milagro que suscita, veloz como el rayo, la espontánea presencia de la clara belleza.

Habiéndola hallado por vez primera en el Libro de la Vida de Santa María Egipcíaca, el ojo se lanza, gozoso, sobre el campo casi infinito de la poesía española creada en lengua castellana en la Península, y va cortando rosas a lo largo de siete siglos, del XIII al XX, con la sorpresa de encontrarla armoniosamente agrupada en diecinueve temas: que así es en realidad el "desorden lírico": claramente ordenado, con la misma rigurosa disciplina con que se alinea la palabra en el verso, "en sílabas cuntadas", como lo explica desde su silencioso monasterio el vate de Berceo.

El primero de esos diecinueve temas está construido en torno de la maravilla inexplicable de que brote la rosa de la espina y pertenece a la esencia acendrada de la cristiandad española: la rosa, la alegría de la vida, la plenitud del alma, brota de la espina, del sacrificio y del sufrimiento: es su premio. Necesariamente tiene que anteceder la espina: sólo el dolor nos permite saborear el placer a labio pleno, sólo la noche nos explica las maravillas del día, por el rigor de la sed llegamos a la felicidad del agua fresca. Si: sólo la espina es capaz de entregarnos la rosa, sólo el hondo dolor conduce al hombre a conocer la dicha. Lo dice el lejano poeta:

> ... e fue maravillosa cosa
> que de la espina salió la rosa...

El cristiano, para lograr la rosa de la gracia, el amanecer de Dios para el alma, debe pasar por la mentida dicha del placer sensual que no es sino la oscura noche del pecado y luego por el arduo infierno de la expiación. El español lo sabe y no teme su ordalía. Luego viene San Juan de la Cruz y la canta: la luz divina, la rosa sólo es nuestra tras la noche oscura del alma, tras la espina.

2. Por el dolor a la dicha

En el siglo XIV, muy próximo al Rey Sabio, contemporáneo del Arcipreste de Hita, en una España que aún no proscribe a los judíos y se trata con los árabes, la España de la Biblia Políglota, reza y enseña en austera poesía don Santo, el maestro judío de Carrión, por otros llamado don Sem Tob. Allá en la niebla medieval española, emergiendo de su sinagoga oscura, dedica al rey don Pedro I el Cruel o el Justiciero, según su espada castigue al soberbio o ampare al humilde, sus "Proverbios morales" —seiscientas ochenta y tres estrofas de cuatro versos cada una —total, ¿qué vale el tiempo?— en las cuales el maestro, con tono bíblico, adoctrina desde su mundo judío al rey cristiano:

> Señor noble, rey alto,
> oíd este sermón
> que vos dice don Santo,
> judío de Carrión.[2]

Alli, sereno y sabio, el viejo rabino, completando al poeta desconocido que nos legó la vida de la Egipcíaca, con su noble voz cascada tanto explicar la Biblia, voz que se oye todavía, nos da su enseñanza:

> ¿Quién puede coger rosas
> sin tocar sus espinas?

Es arduo el trabajo que exige la dicha: "per aspera ad astra", por la áspera senda se marcha lentamente a la cumbre, todo placer sin duda nos depara dolor cuando es perdido, pero antes, para ser conseguido nos exige esfuerzo y sacrificio: para coger la rosa hemos primero de probar sus espinas.

3. Símbolo de la efímera duración de la belleza

Porque era un teólogo de fina y profunda sabiduría, capaz de hilar los hilos más delgados, por eso fue que don Francisco de Rioja, nombre mayor de la poesía española, en su inmortal "Silva a la Rosa", dilecta por la forma exquisita, inolvidable por el alto y profundo pensamiento, introdujo un tema que decurrió y decurre

---

2 Menéndez y Pelayo: Antología de poetas líricos castellanos, Tomo II.

a través de toda nuestra poesía, allá en la vieja Península y aquí en nuestra inmensa América: el de la breve duración de la hermosura, de la que debemos estar siempre conscientes, para que los fugaces deleites con los que nos tienta no nos precipiten en la desesperación al ser consumidos por el tiempo, paso grave y seguro que no se puede excusar. La desesperación es el mayor yerro del alma y bajo su negro manto se puede torcer fatídicamente nuestro rumbo, haciéndonos perder nuestro único norte verdadero, el que alejándonos de la rosa efímera, embeleco engañoso del mundo, nos lleva hacia la rosa eterna, la rosa de la gracia, cuya lozanía nunca termina. He aquí la hermosa silva cuya semilla moralista sigue fructificando cuatrocientos años después de sembrada:

A la rosa

Pura, encendida rosa,
émula de la llama
que sale con el día,
¿Cómo naces tan llena de alegría,
si sabes que la edad que te da el cielo
es apenas un breve y veloz vuelo?
Y ni valdrán las puntas de tu rama,
ni la púrpura hermosa,
a detener un punto
la ejecución del hado presurosa.
El mismo cerco alado
que estoy viendo riente,
ya temo amortiguado,
presto despojo de la llama ardiente.
Para las hojas de tu crespo seno
te dio Amor de sus alas blandas plumas
y oro de su cabello dio a tu frente.
¡Oh fiel imagen suya peregrina!
Te bañó en su color sangre divina
de la deidad que dieron las espumas,
¿y esto, purpúrea flor, esto no pudo

hacer menos violento el rayo agudo?
Róbate en una hora,
róbate silencioso su ardimiento
el color y el aliento;
no aun tiendes las alas abrasadas
y ya vuelan al suelo desmayadas:
tan cerca, tan unida
está al morir tu vida,
que dudo si en sus lágrimas la aurora,
mustia, tu nacimiento o muerte llora.[3]

Sentencioso y sarcástico, menos solemne que cuando le dijera, jugándose la libertad, al hosco dictador Olivares:

No he de callar por más que con el dedo
silencio avises o amenaces miedo...
don Francisco de Quevedo, pecador y moralista, perfecciona el tema definitivamente en su maravillosa

Letrilla

Rosal menos presunción
donde están las clavellinas,
pues serán mañana espinas
las que agora rosas son.

¿De qué sirve presumir,
rosal, de buen parecer,
si aun no acabas de nacer
cuando empiezas a morir?
Hace llorar y reír,
vivo y muerto su arrebol:
en un día o en un sol,
desde el oriente al ocaso

3 C. A. de la Barrera: Poesía de Francisco de Rioja. Madrid, 1867.

va tu hermosura en un paso,
y en menos tu perfección.

No es muy grande la ventaja
que tu calidad mejora,
si es tus mantillas la aurora,
es la noche tu mortaja:
no hay florecilla tan baja
que no te alcance de días,
y de tus caballerías,
por descendiente del alba,
se está riendo la malva,
cabellera de un terrón.[4]

Don Jerónimo de Cáncer y Velasco, el del nombre terrible, el de la juventud a lo Rinconete y Cortadillo, el de la vida tejida entre "majestad y pobreza", siempre perseguido por la mala suerte, por su propia mala índole y por el Santo Oficio de la Inquisición; gran amigo de Vélez de Guevara, de Moreto y de Rojas Zorrilla, en un soneto perfecto nos denuncia que el crimen de la rosa es su propia belleza y que ese crimen se paga con la brevedad de la vida:

A una rosa deshojada

Esa mustia beldad, que enamorado
tuvo al abril su verde lozanía,
fragante joya, que al romper del día
sacó la primavera en el tocado;

Sustituta del sol, astro esmaltado,
que igualmente alumbraba e influía
y en su verde apacible tiranía
por reina se hizo coronar del prado;

---

4 Luis Astrana Marín: Obras completas de don Francisco de Quevedo. Aguilar, 1932.

A mano descortés, segur villana,
rinde cuanto esplendor y pompa adquiere
pagando como culpa el nacer rosa.

¡Oh!, no se fíe la belleza humana,
que es breve flor, que cuando nace muere,
mucho más que por frágil, por hermosa.[5]

Lope, el maestro supremo, de suave voz creadora, cultivando el teológico tema, apostrofa en la rosa a la humana hermosura, en un soneto cuya perfección asombra, desafiando a los siglos:

A la rosa

Rosa gentil, que al alba de la humana
belleza eres imagen, ¿qué pretendes,
que sobre verdes esmeraldas tiendes
tu mano de coral teñida en grana?

Si centro, si laurel, si ser tirana
de tantos ojos que en tu cárcel prendes,
¡cuán en vano solícita defiendes
reino que ha de durar una mañana!

Rinde la vanidad que al sol se atreve,
¡oh, cometa de abril, tan presto oscura!
que puesto que tu vivo ardor te mueve,
el ejemplo de tantas te asegura
que quien ha de tener vida tan breve
no ha de tener en tanto su hermosura.[6]

---

5 Biblioteca de Autores Españoles. Poetas líricos de los siglos XVI y XVII, Tomo II.
6 F.C. Sáinz de Robles: Historia y Antología de la Poesía Española. Aguilar, 1950.

Calderón de la Barca, el gigante, cuya obra se alza en medio del tiempo como una montaña, sostenida sobre los hombros del príncipe solitario, que dudaba, por todos traicionado, hasta del testimonio de sus sentidos, Atlas sin segundo, moralista sabio y grave, nos recuerda que

> ... a florecer las rosas madrugaron
> y para envejecerse florecieron:
> cuna y sepulcro en un botón hallaron...[7]

¡Así es de efímera la gloriosa y trágica duración de la hermosura! Exclamación contrita de quien ama.

Atrás quedan los clásicos: el tiempo, vestido de siglos, galopa por la historia. Atrás quedan los clásicos, diáfanos como el día, o cual la noche oscuros, trascendentales, moralistas, dueños del arte más acabado y completo. Estamos ya en el revuelto río del romanticismo, que para España no fue caudaloso: Alberto Lista, cura afrancesado, maestro de Esproceda, auna al tema de la efímera duración de la hermosura el acuciante consejo de Ronsard, que le arrebata su virtud teológica y lejos de impulsar al sacrificio que salva el alma, la impulsa al goce mundano que la pierde: gozar de la dicha mientras dura, apresurarse, que el tiempo vuela: cortar la humanamente divina rosa y aspirarla plena mientras dura la edad, la edad florida. ¡No dejarla escapar... que solo dura un día! No dejarla escapar, que la única desdicha, el verdadero arrepentimiento viene de no haberla gozado el breve instante que estuvo al alcance de nuestras manos:

> ¿No ves aquella rosa
> que con beldad lozana
> el lindo seno ofrece
> al céfiro del alba?
> Pues aun no bien las sombras
> del alto monte caigan
> cuando su pompa hermosa

7 Idem.

mustia verás y ajada.
No pierdas, no, Mirtila
tu plácida mañana,
la más brillante rosa
al otro sol no alcanza.[8]

El propósito a lo divino del tema ha desaparecido: ya no se trata de despreciar la efímera belleza de la rosa humana, cambiándola por la perenne de la rosa mística: ahora se trata de "no perder la plácida mañana", de beber toda la copa de la vida mientras dura la rosa, sin perder un minuto. Al devoto consejo de Rioja, que lleva a la santidad se sustituye el pagano consejo de Ronsard, para quien el pecado no existe y, desde luego, no existe la expiación.

Una tentativa de retorno al tema clásico realiza el académico, moralista, abogado de éxito, buen padre de familia y excelente métrico don Francisco Rodríguez Marín. Oigamos su palabra, que ya no obtiene oídos:

Linda rosa
flor galana
¡que ostentosa
tu mañana!

Mas tu hermosa
pompa vana
de la fosa
¡qué cercana!

¡Flor amable!
¡Lozanía
deleznable!

¡Flor de un día!
¡Siempre instable
la alegría![9]

8 Idem.
9 Francisco Rodríguez Marín: Sonetos y sonetillos. Madrid, 1893.

Espronceda, ese hombre, ese poeta que era realmente una llama al viento —"y el viento la apagó", desde luego— modificó el tema nuevamente en un soneto perfecto, joya inmerecida del flaco romanticismo español: ahora es la rosa emblema, no de la efímera duración de la belleza, sino de la efímera duración del amor, más dolorosa aún:

Fresca, lozana, pura y olorosa,
gala y adorno del pensil florido,
gallarda puesta sobre el ramo erguido,
fragancia esparce la naciente rosa;

mas si el ardiente sol, lumbre enojosa,
vibra del can en llamas encendido,
el dulce aroma y el color perdido,
sus hojas lleva el aura presurosa.

Así brilló un momento mi ventura
en alas del amor, y hermosa nube
fingí tal vez de gloria y alegría;

mas, ¡ay!, que el bien trocóse en amargura
y deshojada por los aires sube
la dulce flor de la esperanza mía.[10]

Dejando atrás el romanticismo, que no fue época dorada para España, como lo fue para Alemania, vamos directamente a la cumbre del modernismo, a don Antonio Machado, el que nos dijo al pintar su retrato inmortal:

Adoro la hermosura y en la moderna estética
corté las viejas rosas del huerto de Ronsard...

El mágico poeta de la suprema claridad, el que iba soñando caminos, el que sabía que tras el vivir y soñar lo que importa es

---

10 José de Espronceda: Obras Poéticas ordenadas y anotadas por J. E. Hartzenbusch. (Colección de Autores Españoles, Tomo XLVI) París, 1862.

despertar, ese hombre sabio que tuvo patria donde corre el Duero bajo un cielo de añil, vuelve a mezclar el viejo tema de Rioja con los siempre frescos y ardientes gajos de Ronsard:

Rosa de fuego

Tejidos sois de primavera, amantes,
de tierra y agua y viento y sol tejidos.
La sierra en vuestros pechos jadeantes,
en los ojos los campos florecidos,

pasead vuestra mutua primavera
y aun bebed sin temor la dulce leche
que os brinda hoy la lúbrica pantera,
antes que, torba, en el camino aseche.

Caminad cuando el eje del planeta
se vence hacia el solsticio de verano,
verde el almendro y mustia la violeta,

cerca la sed y el hontanar cercano,
hacia la tarde del amor, completa,
con la rosa de fuego en vuestra mano.[11]

Esa mezcla es fecunda: don Ricardo León, el injustamente olvidado poeta del "Alivio de caminantes", de tan rico, artificioso, elaborado y deleitoso lenguaje arcaico, sigue la senda y se demuestra rendido discípulo de Ronsard:

Amalo todo, bebe de las rosas
como la abeja, el zumo y la dulzura...[12]

¡Goza de tu vida, mientras la juventud es tuya! ¡No la desperdicies, que maña vas a llorarla!

---

11 Antonio Machado: Obras (Poesía y Prosa). Edición reunida por Aurora de Albornoz y Guillermo de Torre. Losada, 1964.
12 Ricardo León: Alivio de Caminantes. Mundo Latino, 1912.

4. La belleza que a la muerte llama

Pero no siempre la belleza llama a la dicha. Mil y una veces llamó a la angustia, al temor, a la venganza, a la muerte sin piedad. Macías el enamorado lo sabe y lo sabe doña Inés de Castro. Allá en el siglo XV, en el Cancionero de Palacio, transida de horror nos lo dice, adelgazada por el soplo de lo irremediable, la voz de una mujer hermosa:

> Dentro, en el vergel
> moriré.
> Dentro, en el rosal
> matarme han.
>
> Yo iba, mi madre
> las rosas a coger:
> hallé mis amores
> dentro, en el vergel.
>
> Allí, en el rosal
> matarme han.[13]

Ella lo sabe, mas ella no puede resistir al destino. Desde el rosal las rosas a cruel muerte la llaman.

El español ama el tentar a la muerte, el provocarla rodeado de mujeres hermosas, de la casi marcial algarabía del pasodoble, en medio de la multitud: es un deporte loco en el que la muerte es invitada a bailar bajo el sol y acepta el convite: la fiera torpe y bella, de astas afiladas y el torero hábil, locamente valiente, con su traje de luces y su capote rojo. La muerte, invitada a jugar y el poeta, que cita a la rosa como símbolo de esa muerte increíble, que se incuba en auténtica alegría: el poeta, marinero y cantor de canciones, se llama Rafael Alberti. Oigámoslo:

---

13 F.C. Sáinz de Robles, Op. cit.

... rosa en el palco de la muerte aún viva,
libre y por fuera sanguinaria y dura,
pero de corza el corazón, cautiva...[14]

5. El poeta se aleja de la vida

Ocurre: la vida golpea sin piedad y el poeta se aleja de ella, se harta de soledad, se mete en sí mismo, tal un oso en su cueva:

Me pierdo en mi soledad
y en ella mismo me encuentro,
que estoy tan preso en mí mismo
como en la fruta está el hueso.

Es entonces cuando ocurre lo terrible:

Estoy en el jardín. Mi pensamiento
se va alejando de la rosa...[15]

El poeta se va alejando de la rosa. Y la rosa es la vida. Estos versos terribles son de Emilio Prados, compañero de Cernuda y de Aleixandre en la serie "dimensión infinita".

Otro caso igual es el de José María Valverde, un discípulo grande de Aleixandre, que lleva su cuerpo por el mundo como se lleva a un perro: es sin duda el más europeo de los poetas españoles ("¡Ah, cuando yo era niño, soñaba con Europa!"). Le ha ocurrido algo verdaderamente terrible:

He muerto lentamente y hora a hora
bajo la losa quieta de mi cara
y sin que nadie me lo adivinara
me he quemado...

No extrañe, pues, que el poeta nos confiese:

14 Rafael Alberti: Poesías Completas. Edición cuidada por Horacio J. Becco. Losada, 1961.
15 Emilio Prados: Jardín cerrado. Tezontle, 1938.

... miro estallar las gracias de la rosa
y no embriago en su olor mi triste frente...[16]

No se olvide: la rosa es la vida y el poeta, que mira estallar sus gracias sin embriagar en ellas su frente, ya no pertenece a la vida: ha muerto lentamente y hora a hora.

6. La rosa roja, símbolo del dolor

Cuando el cristianismo, enemigo, en un comienzo, de la rosa, considerándola símbolo del ansia de goce y la impúdica licencia de la Roma pagana, terminó por perdonarla y aceptarla, asignó la rosa blanca a la dichosa inocencia y simbolizó en la roja, remembranza hermosa de la sangre, el dolor y la desdicha humanas. Garcilaso, dentro aun del mito, en la segunda égloga lo dijo en versos, como suyos, diáfanos e inolvidables:

> ...en la hermosa tela se veían
> entretejidas las silvestres diosas
> salir de la espesura, y que venían
> todas a la ribera presurosas,
> en el semblante tristes, y traían
> cestillos blancos de purpúreas rosas,
> las cuales esparcidas derramaban
> sobre una ninfa muerta que lloraban...[17]

Poco a poco el símbolo, proveniente de la tardía latinidad fue perdiendo prestigio: en todas partes la rosa roja comenzó a simbolizar la alegría de vivir y el goce de la vida... ¡lo mismo, sin duda, que simbolizaba en la vieja Roma, donde reinaba el demonio hasta que vino Cristo y lo derribó de su trono juntamente con los césares, sus abominables creaturas!

Pero al mismo tiempo que simbolizaba la dicha de vivir, la rosa fue forzada a simbolizar los engaños del amor, sus trampas y traiciones, y el poeta, en versos de maravilla, previno a los amantes:

16 José María Valverde: Salmos, elegías y oraciones. 1947.
17 Garcilaso de la Vega y Juan Boscán; Obras completas. Recopilación de Juan e Isabel Milles. Aguilar, 1943.

No os engañen las rosas que al Aurora
miréis que aljofaradas y olorosas
se le cayeron del purpúreo seno...[18]

Esta vez es Góngora, es don Luis, maestro sin rival, quien nos previene.

Para García Lorca, es la rosa blanca el símbolo del dolor humano:

Todas las rosas son blancas
tan blancas como mi pena.[19]

En el léxico y la simbología agitanados del poeta granadino las flores principales son el clavel y la azucena, que se combinan en sus versos con el granado y el laurel. Sin embargo, a veces se pregunta:

¿Quién será la que corta los claveles
y las rosas de mayo?[20]

y deja columbrar oscuramente que, si bien puede ser el amor, también puede serlo la muerte. Coplero, lopesco, el poeta inocente canta:

Adiós mi doncellita,
rosa durmiente,
tu vas para el amor
y yo para la muerte.[21]

Es ese presentimiento de la cercanía de la muerte prematura y atroz que siempre acompaña al desdichado poeta y que un día sin Dios se cumple... ¡en su Granada! Con ese presentimiento, otro día pregunta:

18 Luis de Góngora y Argote: Obras completas. Recopilación de Juan e Isabel Milles. Aguilar, 1943.
19 Federico García Lorca: Obras completas. Recopilación de Arturo del Hoyo. Aguilar, 1954.
20 Idem.
21 Idem.

¿Qué tienes en tus manos
de primavera?
Una rosa de sangre
y una azucena.[22]

Su flor gitana, la azucena, brota del presentimiento cuyo símbolo real es la rosa de sangre, vuelta a su sentido inicial cristiano: emblema del dolor humano, que acompaña y que precede a la muerte. Y, por fin, a lo grande, este verso trascendental, que se nos entra al alma:

El silencio profundo de la vida en la tierra
nos lo enseña la rosa...[23]

7. El lamento por la dicha perdida

A veces, generosa, la vida nos acerca a la dicha: la copa llega al borde del labio, la rosa al alcance de la mano. Pero, pérfida y cruel, como la fresca linfa en el suplicio de Tántalo, la dicha nos es hurtada para siempre. No podremos gozarla y... ¡tan cerca la tuvimos! Entonces, la lloramos, nos decimos que la felicidad no se hizo para los humanos y trasladamos la rosa de símbolo de la dicha a símbolo de la desilusión. La poesía española está llena de tales lamentos y lástimas, de los que, igualmente, se halla repleta la vida. La poesía española no es abstracta música en palabras, helada geometría del sonido. La poesía española sigue, instante por instante, el drama del corazón humano. Y lamenta con el juglar, allá en la remota Edad Media, vestida de hierro:

Rosa fresca, rosa fresca,
tan garrida y con amor
cuando vos tuve en los brazos
non vos pude servir, no.[24]

22 Federico García Lorca, Idem.
23 Idem.
24 F.C. Sáinz de Robles, Op. cit.

El remoto juglar, como Tántalo, la tuvo allí, entre los brazos, al alcance del labio y... ¡no la pudo servir! El destino, que niega la dicha al ser humano, lo impidió. El remoto juglar llora la dicha perdida y su llanto, sencillo y directo, sin artificio, ceñido a la tragedia que hizo que se le escapara de los brazos la "rosa fresca", se oye a lo largo de los siglos.

En los años del Siglo de Oro, desde Garcilaso a Quevedo, los poetas refieren su frustración a lo divino: la subliman en el mito teológico de la efímera duración de la belleza y se postran ante la imagen del Crucificado proponiendo la concesión de la gracia divina, rosa indestructible, en lugar de la fallida y pérfida rosa humana, brotada en la mañana y a la tarde, para siempre, mustia y nunca gozada a plenitud de labio.

Pero al llegar al romanticismo, el tema teológico de la fugacidad de la belleza y de la dicha que ella entrega, se va distorsionando y disipando y el llanto por la dicha perdida se torna exclusivamente humano. Así, mientras se producen suicidios en cámaras desoladas, donde un retrato —rígido daguerrotipo, calumnia de la máquina imperfecta— reemplaza a una bella, a una "rosa fresca" para siempre perdida y al tiempo que bajo los sauces llorones, en húmedos amaneceres, enlutados galanes se matan por bellas esquivas y traidoras, Francisco Martínez de la Rosa, poeta de nombre románticamente floral, nos dice que la dicha nunca será para el poeta:

> ...y una vez y otra vez vi en mayo rosas
> ¡y sólo dura eterno el dolor mío![25]

Hemos vuelto al pleno reinado de la vida corriente: el poeta corre tras la rosa y la rosa se le evade. El poeta, Tántalo con los ojos encendidos en llanto, sigue el consejo de Garcilaso y como Salicio y juntamente Nemoroso, bajo los cielos enlutados de la vida llora su única verdad: la dicha encontrada y perdida antes de ser gozada.

25 Idem.

Es ya la hora del modernismo y Manuel Machado, el poeta de "Adelfos", en días de paz engañosa que nos dieron un trágico espejismo, llora la desilusión suprema en escueta y casi abstracta expresión:

> ...y la rosa simbólica de mi única pasión
> es una flor que nace en tierras ignoradas
> y que no tiene aroma, ni forma, ni color...[26]

Antes de que llegara Juan Ramón Jiménez, por el tiempo de don Ricardo León, el que nos dio el "Alivio de caminantes" y declaró que "todo está en el corazón", hubo en Madrid un periodista que era, en realidad, un verdadero poeta, pero cuya poesía quedó oculta y nunca vista tras la portentosa hojarasca del artículo de cada día, cada mañana saboreado, cada tarde olvidado. Ese poeta se llamó Cristóbal de Castro y por razones obvias —el mismo destino— vive en mi simpatía. Ese poeta, también golpeado por el viento sin piedad de la desilusión, dijo esta maravilla con el mismo tono inocente y fluvial del remoto juglar:

> Rosa fresca, rosa fresca,
> en el rosal de mi amor,
> ¡en mi rosal te has secado
> sin que te cortara yo![27]

Por los mismos años, Vicente García de Diego, que fue licenciado en filosofía y letras por Zaragoza y Secretario Perpetuo de la Academia, y que, además, fue poeta, y buen poeta, hoy del todo y por todos olvidado, dijo todo esto que es una meditación sangrante, dirigida a sí mismo:

> Si ajaste tú la bella rosa
> que el hado puso ante tu altar,
> ¿qué ansia indecisa ahora te acosa?
> ¿Quieres cobrar la flor hermosa
> o es que la quieres olvidar?[28]

26 Idem.
27 Cristóbal de Castro: El amor que pasa. Mundo Latino, 1930.
28 V. García de Diego: Versos nuevos y viejos, 1943.

Juan Ramón aparece ante nosotros como un mozo pálido y melancólico, de corazón dormido y ojos velados por un tenaz ensueño, cuya sencillez nos envuelve y nos conmueve:

> He venido por la senda
> con un ramito de rosas
> del campo. Tras la montaña
> nacía la luna roja;
> la suave brisa del río
> daba frescura a la sombra;
> un sapo triste cantaba
> con su flauta melodiosa;
> sobre la colina había
> una estrella melancólica.
> He venido por la senda
> con un ramito de rosas.[29]

Esas rosas, las recogidas en el campo, eran el amor: las horas del amor, el amor mismo. De la senda donde la suave brisa del río paliaba el furor de la luna roja, el tímido poeta cambia el escenario del amor, creyendo, ¡iluso!, que llegaba la hora de la dicha:

> Por el jardín florecido
> ella reía y cantaba
> cogiendo rosas y rosas
> en el sol de la mañana.
>
> ¡Y ella se fue con sus rosas
> y yo me fui con mis lágrimas![30]

¿Qué pudo pasar? ¿Qué viento helado terminó con la dicha y dejó al poeta sin sus rosas? Sin las dulces rosas que ella traía, sin esa rosa que un día le dio y que él siempre recuerda:

> ... y ella, dándome una rosa
> me dijo: ¡Cuánto te quiero![31]

29 Juan Ramón Jiménez: Libros de Poesía, Aguilar, 1957.
30 Idem.
31 Idem.

esa rosa para la cual estuvo siempre listo y ansioso:

... mi corazón recogerá tu rosa...[32]

esa rosa que para él sería la suprema:

... tu rosa será norma de las rosas...[33]

esa rosa, divina rosa, ella se la fue llevando, arrebatándola para
siempre al poeta, dejándole esa "herida de abril":

> Por la herida que abril ha dejado en mi pecho,
> ruedan mis dulces rosas sangrientas, una a una,
> de manera que este pobre cuerpo está hecho
> como un jardín de grana, a la luz de la luna.
>
> ¡Oh, cómo me florecen! Nacida una apenas,
> otra se pone encima. ¡Qué ardorosas marañas
> de hilo carmín! ¡Qué ocaso! Los tallos de mis venas
> me alumbran a mí mismo con mis bellas entrañas.
>
> Y yo solo me arranco las rosas, porque quiero
> que el camino no sea tan rojo ni tan largo...
> Una rosa, otra rosa... ¡Pero nunca me muero!
> El alma se me va, ¡y de pie, sin embargo![34]

¿Qué ha ocurrido? Pues... el poeta, en un acto de suprema
audacia, se ha sustituido al rosal y ahora siente dolorosamente la
floración y la cosecha de las rosas, se mira las entrañas, bellas
como las rosas que en ellas se engendran y nota la urdimbre de
"hilo carmín" y los tallos de sus venas que lo alumbran: la luz de
los rosales. Pero este rosal no espera que vengan manos ajenas y
cosechen sus rosas: él mismo las cosecha, siempre en busca de la
rosa única, que ahora ya no la espera encontrar en el mundo sino
en sí mismo. Esa rosa final al fin le llega, él la guarda en su mano.
La rosa que su corazón pedía, sin embargo, no es rosa de vida, es

32 Juan Ramón Jiménez, Idem.
33 Idem.
34 Idem.

una rosa de sombras y de sombra
guardo en mi mano abierta...[35]

esa rosa, suprema rosa de la desilusión, es la que, generosa en dolores, da al poeta la vida y se la da arrancándola de sus propias entrañas.

En la austera, profunda, encarnizada obra poética de don Miguel de Unamuno, hecha de eternidad más que de palabras, casi no tienen cabida las rosas. Solamente se las halla, siempre en plural, en dos poemas de su agonizante libro "Teresa", y en ambos simbolizan las horas de la vida —del amante, sí, y también de la amada para siempre perdida, no por el olvido, sí por la muerte, y las carnes de los dos amantes, que "no dieron granazón", y que deberán mezclarse tras la muerte, ya que no lograron mezclarse en la vida:

¿Por qué esas rosas que agosta el sol?[36]
y más adelante:

...mezclándose las rosas deshojadas
de nuestras pobres carnes...[37]

Un poco más allá, Gregorio Martínez Sierra —¿lo recuerda alguien todavía?— . Era ese poeta humilde, sencillo y claro que Manuel de Falla prefería y cuya poesía fue la malla sobre la que tejió sus partituras inmortales: fue también el suave poeta de la cordialidad melancólica que Rubén Darío y Juan Ramón consideraron su hermano predilecto. Este suave poeta erige a la rosa en el símbolo de su dulce tristeza:

Tristeza mía, luminosa y cálida,
¿quién te ha llamado? ¿Acaso el corazón,
a fuerza de reír sobre tus rosas,
entre las rosas encontró tu flor?[38]

---

35 Juan Ramón Jiménez, Idem.
36 Idem.
37 Idem.
38 G. Martínez Sierra: La casa de la primavera. Renacimiento, 1907.

Por el mismo paraje modernista, Alfonsín Camín, el español que se hizo encarnizadamente hispanoamericano, le dice a la desilusión:

... son hechas con tu carne todas las rosas...[39]

Y Pedro Salinas, el poeta del seguro azar, el que todo lo veía más claro, nos confiesa:

No me fío de la rosa
de papel,
tantas veces que la hice
con mis manos,
ni me fío de la otra,
verdadera,
hija del sol y sazón,
la prometida del viento.
De ti que nunca te hice,
de ti que nunca te hicieron,
de ti me fío, redondo.
seguro azar.[40]

No se fía el cauto poeta, experimentado en la desilusión, de la rosa de papel, es decir de la que su imaginación le da, ni de la rosa verdadera, la que le da la vida y que no es su prometida ni serlo puede, por ser la prometida del viento. El poeta, curtido por el clima de la desilusión, el más riguroso y desapacible, sólo se fía del redondo, seguro azar. Esa desilusión, que llena la vida del poeta, que asola su corazón a solas, nos muestra su bella y melancólica faz en esta historia donde se halla "todo más claro":

Al principio, ¡qué sencillo,
allí delante, qué claro!
No era nada, era una rosa
haciendo feliz a un tallo,

39 Alfonso Camín: Antología poética, 1930.
40 Pedro Salinas: Poesías completas. Aguilar, 1955.
41 Idem.

un pájaro que va y viene
soñando que él es un pájaro,
una piedra, lenta flor
que le ha costado a esta tierra
un esmero de mil años.
¡Qué fácil, todo al alcance!
¡Si ya no hay más que tomarlo!
Las manos, las inocentes
acuden siempre al engaño.
No van lejos, sólo van
hasta donde alcanza el tacto.
Rosa la que ellas arranquen
no se queda, está de paso.
Cosecheras de apariencias
no saben que cada una
está celando un arcano.
Hermosos, sí, los sentidos,
pero no llegan a tanto.[41]

Si se ha olvidado a Mauricio Bacarisse, ello sólo demuestra la absurda amnesia de la fama: en el cielo de la poesía castellana, el resucitador del concepto sigue brillando, apasionado tras escepticismos que dejan asomar su verdad, en la que sopla fuertemente el viento de la desilusión:

Dimite forma y color
rosa del amor y el arte
que ansías evaporarte
en trinos de ruiseñor.
Al gozo por el dolor
tu aroma en música viene,
novia, rival de Selene,
ignorante en tus intentos,
que es la rosa de los vientos
la que más espinas tiene.[42]

---

42 Mauricio Bacarisse: Antología. Revista de Occidente, 1932.

Y para dar fin a este desilusionado viaje por los dominios de la desilusión, donde comienza sangrando el corazón y luego se sublima en la filosofía o se agosta en el escepticismo, dejemos que Juan Larrea, cuya poesía se educó en el jardín milagroso de Vicente Huidobro y cuya alta canción corrió pareja a la de César Vallejo, ponga el final con un verso en el que la desilusión se empoza como una agua lenta y enfermiza:

...en mi silencio vive una oscura rosa sin salida ni lucha...[43]

La conocemos: esa es la rosa de la desilusión.

8. Emblema de la fe

Bernardo López García, un olvidado bardo del romanticismo español, en un soneto digno de mejores tiempos, propuso la rosa como símbolo de la fe católica:

La fe

Yo soy amor y del amor camino;
soy blanca nave del sagrado puerto;
por mí, postrado en el peñón desierto,
canta el asceta su triunfal destino.

Soy consuelo del triste peregrino
que cruza el mundo, de pesares yerto;
soy árbol santo del eterno huerto;
rosa bendita del rosal divino.

Sin mí, la pena se desgarra y llora;
sin mí el dolor sus amarguras vierte;
sin mí, el sepulcro con furor devora.

Aspirando mi luz, el alma es fuerte;
la pena se hace amor; la noche, aurora;
la tumba, claridad; faro, la muerte.[44]

43 Gerardo Diego: Poesía española, Madrid, 1934.
44 F.C. Sáinz de Robles: Op. cit.

No prosperó el símbolo: ahora, con un rumbo cambiado en ángulo de 90^0, en vez de ser símbolo de la fe católica, lo es de la fe socialista y Mitterrand en Francia y Felipe González en España, llegan al poder con una rosa roja en la mano.

9. La rosa de la justicia

León Felipe, el juglarón, el vagabundo que salió a ganar la luz, el bardo del éxodo y el llanto, poco lugar tenía para la rosa en su poesía en acción intrépida, militante, incesante, tumultuosa, terrible como la terrible hora de la historia en que le tocó brotar. Pero un día llamó la rosa a su puerta, como llama a la de todo verdadero poeta, y fue la rosa de sangre, la terrible rosa de la justicia:

> Y la Rosa de la Poesía es roja
> roja como la sangre vertida en el Calvario.[45]

Para él la Rosa de la Justicia (así, con mayúsculas) no se gana con la banal creación de belleza que pretende ser pura... Esa rosa

... es como la herida de lanza de Longinos...[46]

Rechaza las rosas blancas, la rosa esterlina, la rosa de cristal, la rosa de maíz, la rosa de papel, la rosa de los vientos... esas rosas las reparte "el director del rigodón, sujetándose la corona de oralina y cartoné". La rosa de sangre, la Rosa de la Justicia, sólo la concede "el Poeta Mayor —ese que todos conocéis y veneráis— y que lleva una corona de espinas en la frente...".

Esa es la sagrada, la terrible y verdadera rosa del juglarón.

10. Mágica habitante del sueño

Quién dice romanticismo español, diciendo está Bécquer, recitando está sus rimas, mirando golondrinas —siempre nuevas— llamando a los cristales tras cuya luz sueña el amante desdeñado y

---

45 León Felipe: Obras completas. Losada, 1963.
46 Idem.

solitario. Bécquer, siempre más cerca del sueño que de la realidad, hacia allá llevó a su rosa, ornando con sus dedos la más sutil y mágica irrealidad:

> ¿Será verdad que cuando toca el sueño
> con sus dedos de rosa nuestros ojos
> de la cárcel que habita huye el espíritu
> en vuelo presuroso?[47]

¡Mágica anticipación la del poeta! Si Freud hubiese sabido hablar lengua española, aquí, en esta rima de Bécquer habría hallado cómo un poeta, cien años antes de que él descubriera el profundo secreto de los sueños, había descrito mágicamente la liberación del subconsciente que ocurre justo cuando los dedos de rosa del sueño tocan nuestros ojos. No de otro modo, siglos antes de Copérnico, otro poeta, Omar Al-Kayyam descubrió el terrible secreto del cosmos, el heliocentrismo, con el que se demolió para siempre el vano orgullo con que el hombre se creía centro del Universo.

11. El orgullo de la belleza

Lo excelso no es humilde: no lo es la luz del sol ni la del rayo, no lo es el salto de agua clara ni la ola alta y asombrosa: la belleza tiene su fiero orgullo, su arrogancia suprema. Para probarlo es mejor un viejo ejemplo, uno de esos viejos ejemplos que jamás envejecen, gracias a la magia invencible de la poesía. He aquí la rosa, convertida en nombre de doncella y en parangón del orgullo vital de la belleza: es un romance del siglo XVI:

> Dentro estaba una doncella
> que llaman Rosaflorida:
> siete condes la demandan,
> tres duques de Lombardía;
> a todos los desdeñaba,
> ¡tanta es su lozanía![48]

---

47 Gustavo Adolfo Bécquer: Obras completas. Estudio preliminar de J. Alcina y A. Cardona. Editorial Bruguera, 1977.
48 F.C. Sáinz de Robles: Op. cit.

Saltamos los siglos y venimos al nuestro, en el cual las rosas floridas siguen teniendo enhiesta su plena lozanía. Los ojos de la bienamada, henchidos de orgullo, se distinguen de la rosa: el frío poeta Aleixandre —frío, aparentemente; bien se sabe que, por dentro, arde con fuego inextinguible— realiza una sutil alteración del mito según el cual era la rosa el símbolo del fiero orgullo de la belleza. Ahora no:

> No son tus ojos esas dos rosas que tranquilas
> me están cediendo en calma su perfume.[49]

Para el poeta del "nacimiento último", en la rosa reside la tranquila y pura humildad de la naturaleza, que ignora el orgullo, y por eso precisa el abismo que existe entre las rosas y los ojos que pesan sobre su alma.

12. Emblema del amor y de la amada

Don Ramón Pórez de Ayala, en el reino del modernismo, cuando un nuevo viento nutricio elevaba la lírica española a su altura acostumbrada, identificó el tema de la rosa como emblema del amor con el tema tradicional que la hacía emblema de la amada:

> Rosa
> amorosa, puesto que es la rosa.[50]

Don Pedro Salinas, en las maravillosas páginas de su "Seguro azar", hace de la rosa emblema del amor y de la vida: sabe que un ser vive cuando ese ser ama y es la rosa el emblema que lo expresa:

> Si no fuera por la rosa
> frágil, de espuma, blanquísima,
> que él, a lo lejos, se inventa,

49 Vicente Aleixandre: Poemas escogidos. Edición a cargo de Carlos Ayala. Círculo de Lectores, 1978.
50 R. Pérez de Ayala: La paz del sendero, 1903.

¿quién iba a decirme a mí
que se lo movía el pecho
de respirar, que está vivo,
que tiene un ímpetu dentro,
que tiene la tierra entera,
azul, quieto mar de julio?[51]

Atención: el poeta claramente lo expresa: si la vida es tán árida que no nos da un amor, que es siempre "el amor", hay que inventarlo, así sea "a lo lejos". De otro modo no viviremos, ni siquiera se advertirá que vivimos.

Este no es un poeta famoso: es simplemente un poeta: Raimundo de los Reyes. Pero el que no lo haya coronado la fama no importa, porque es un poeta auténtico, a veces transeúnte de un país surrealista muy personal y otras un enamorado de la maravillosa tradición lírica española: fue periodista toda su vida, ello despistó a la gente sobre su obra poética y ello llama activamente a mi simpatía. En un poema leve y profundo, hizo de la rosa la mensajera del amor, es decir, de la vida:

Mensajera

Llegó la rosa en el viento
del fondo de la mañana
—¡mensajera!—

Y todo el tiempo
se hizo canción en la rama.

Vestida de grana, el mimo
de la aurora te acompaña
—emoción en el camino
y serenidad lejana—.

Para soñar, en intento
del impulso que te lanza;

51 Pedro Salinas: Op. cit.

para vivir el sendero
y la canción para el alma.

Y tú —¡mensajera!— siempre:
mañana ayer y hoy mañana.[52]

Y, finalmente, desconocido también y también gran poeta,
Juan Soca, hundido en las profundas contradicciones de la vida,
dice una cruel verdad: es preferible, sin duda, ser espina que rosa
—y con este tema, audazmente, trasciende el que hace de la rosa
la imagen de la fugacidad de la belleza, a tiempo que lo reitera:

Por ser espina de rosa
fue tu vida más dichosa
que la rosa.

Ser sólo rosa no es nada
nace y vive perfumada
pero se muere olvidada.

Y tú vives deseada.[53]

13. Ornamento del prado, gala de la vida

La rosa es emblema de todo lo que embellece la naturaleza, lo
que ennoblece y aclara la obra del hombre, lo que es gala de la
vida, luz en su oscuridad, seda en su aspereza, consuelo en su
amargura, descanso de los ojos, anhelo de las almas. Micer Francisco Imperial, el maestro inicial del itálico modo, el que dio a
nuestra poesía su primer golpe de timón, el que preparó con
Santillana y Boscán ese milagro delicioso que se llamó Garcilaso,
fue el primero en introducir el tema de la rosa, ornamento del
prado:

Cerca la hora que el planeta enclara
al Oriente, que es llamada aurora,

52 R. de los Reyes: Campo, 1927.
53 Juan Soca: Más de cien poemas. 1946.

fuime a una fuente, por lavar la cara
en prado verde que un rosal enflora.[54]

Su egregio discípulo don Iñigo, el Marqués de Santillana, fue completando el tema: la rosa, ornamento del escenario del amor:

Por una gentil floresta
de lindas flores e rosas
vide tres damas fermosas
que de amores han requesta.[55]

Y el dulce Gil Vicente, con su ritornelo en el cual compiten la gracia y el misterio:

Del rosal vengo, mi madre,
vengo del rosal.

A riveras de aquel vado
viera estar rosal granado,
vengo del rosal.

A riveras de aquel río
viera estar rosal florido,
vengo del rosal.

Viera estar rosal florido,
cogí rosas con suspiro
vengo del rosal.

Del rosal vengo, mi madre,
vengo del rosal.[56]

Aquel vado era la tentación y aquel río era el amor y el rosal era el testigo: la rosa, siempre, será desde entonces el ornamento del escenario del amor. Ya lo dijo el Arcipreste en el "Libro de Buen Amor", dando consejos sabios sobre lo que se debe hacer con la enamorada en la primera cita:

54 El Cancionero de Joan Alphonso de Baena. Edición de Eugenio Ochoa. Anaconda, 1949.
55 Marqués de Santillana. Obras completas al cuidado de Amador de los Ríos. Madrid, 1852.
56 Menéndez y Pelayo: Antología de líricos castellanos. Tomo VII.

Y si es tal que non usa andar por las callejas
que la lleve a las huertas por las rosas bermejas.[57]

Aquel hidalgo de Alcalá de Henares que hablaba como propios los idiomas clásicos y el idioma de la poesía, el italiano, que con su "modo" entonces nos invadía de gracia y de dulzura, Francisco de Figueroa, el embajador-poeta que alcanzó, tras una vida de activa presencia en los altos negocios del Estado, el premio de una vejez dichosa, "ni envidiado ni envidioso, en paz y en gracia de Dios, dado a la lectura y a la poesía", completó el dilecto tema introduciendo la rosa como ornamento del dulce objeto del amor:

> ... deja por la garganta cristalina
> suelto el oro que encoge el sutil velo;
> arden de amor la tierra, el río, el cielo
> y a sus ojos se inclina
> ella, de azules y purpúreas rosas
> coge las más hermosas
> y tendiendo su falda
> teje con ellas después bella guirnalda...[58]

"Azules y purpúreas rosas": ojos dichosos, que cuando arden de amor la tierra, el río y el cielo, visten las flores con la imaginación más encendida: ya para siempre las rosas serán el ornamento, bella guirnalda, prendedor o diadema, del dulce objeto del amor.

Tirso de Molina, el sutilísimo creador del mito de don Juan, describe la gloriosa llegada de la aurora y la única flor que nombra es, desde luego, la rosa:

> Barriendo estrellas, flores matizando,
> cerniendo aljóbar, luces produciendo,
> prado vistiendo, nubes bosquejando,
> sembrando aromas, rosas descogiendo,

---

57 Juan Ruiz, Arcipreste de Hita: Libro de Buen Amor. Aguilar, 1962.
58 F.C. Sáinz de Robles, Op. cit.

templando vientos, flores aclarando,
granates en mosquetas envolviendo,
mostraba el rostro la rosada aurora...[59]

Corren los años, se amontonan en siglos y el tema, desde tales lejanías, sigue vivo y lozano, poblando de rosas torrentes de poesías, siempre llenos de dulces novedades. Por ellos navegando, llegamos a ese paso angosto que fue para la poesía española el romanticismo, tan ancho para otras líricas: allí, Miguel Agustín Príncipe, aquel periodista que "murió de desvivirse"[60] y que era poeta de palabra suave y encendida, volvió al viejo bardo de Alcalá y al describir a una desposada, en epitalámico canto, usó el viejo tema de la rosa como ornamento de la persona amada:

La rosa sus mejillas colorea
y el beso ríe en su halagüeña boca,
su dulce seno gratamente ondea
como la mies que al aura apenas toca[61]

La rosa, ornamento del prado, gala de la naturaleza, vuelve una vez más con Villaespesa. Su lírica, afectada dolorosamente por la facilidad y la fecundidad, temibles enemigas de la calidad de los poetas, oculta bajo toneladas de hojarasca joyas miríficas, fiesta de la poesía española. Y con él, árabe andaluz por elección voluntaria, la rosa entra en la varia y encantadora zona de la lírica que hemos dado en llamar modernista. He aquí la rosa, gala de la aurora:

El alba ciñe las primeras rosas
sobre el espejo de la mar bruñida...[62]

En el mar de los "ismos", vamos encontrando grandes poetas que emergen de sus olas confusas, creadores iluminados por la indestructible luz de la poesía: Gerardo Diego habla con Claude Debussy y le recuerda:

59 F.C. Sáinz de Robles, Op. cit.
60 Idem.
61 Juan Valera: Florilegio de poesías castellanas del siglo XIX.
62 F.C. Sáinz de Robles, Op. cit.

Tú sabes donde yerra un son la rosa,
una fragancia rara...[63]

¡La rosa, trascendiendo el color, invadiendo el sonido! La rosa, ornamento del son.

Leopoldo de Luis, un poeta que ha afinado su instrumento a la sombra clarísima de Góngora, vuelve a la rosa, gala de los jardines, gala del escenario del amor, garbo y alarde de su instante:

> ¿Cómo decirte cómo? Será como las flores
> que nievan de blancura un corazón de ramas.
> Como el sol de la tarde, que madura colores
> y matiza la sierra de doradas escamas.
> Será cual los rosales se iluminan de rosas...[64]

14. La rosa no es la espina

La poesía de Tirso de Molina, esparcida en sus dramas y comedias como la de Calderón y gran parte de la de Lope, es altísima y se parte con frecuencia, a través de símbolos caros al Siglo de Oro, a terrenos colindantes con el surrealismo. Así, en los prodigiosos juegos de ingenio de los "Cigarrales de Toledo", prefigurando los mágicos compartimentos cuyas puertas sucesivamente abre el lobo estepario en su terrible noche de Walpurgis, gala de la incursión de Hermann Hesse en los mágicos mundos subliminales de la conciencia, describe el "castillo de la pretensión del amor" y asume la defensa de la rosa, que no debe ser transformada en espinas y que tampoco es producto de la transformación de las espinas en pétalos, hedonista concepción que contradice la propuesta inicial —"e por la espina salió la rosa"— con la que entró la divina flor en la poesía española:

> Solamente ofrece entrada
> al regocijo esta puerta:
> para el contento está abierta,

63 Gerardo Diego: Primera antología poética. Espasa Calpe.
64 Leopoldo de Luis: Los imposibles pájaros. Adonais, 1949.

para el disgusto cerrada.
De flores está esmaltada,
no es bien que el pesar las seque,
ni en espinas rosas trueque
quién ser su huésped espera,
porque sólo ha de reinar
el placer que el gusto adquiera.
¿Y el pesar?
¡No ha lugar!
Por más que la entrada intente,
entre el placer solamente
y quédese el pesar fuera. [65]

15. A la ligera

La rosa no solamente ha sido tema trascendente en la poesía española: también algunos poetas han jugado con ella. Por ejemplo, José María Pemán, burlándose:

Rosal de rosas de sangre,
sangre que no llega al río. [66]

Allí también Angel Valbuena Prat, no solamente historiador de la literatura sino inquieto y fino poeta, que con la mayor donosura, con gracia sin rival, se burla también:

Funerales de la rosa blanca

Gori, gori, gori, gori,
que se ha muerto la rosa blanca.
Que la guarden en un museo,
que me la entierren en la solapa.
Rumba, rumba, danza macabra.

---

65 Tirso de Molina: Cigarrales de Toledo, Aguilar, 1954.
66 José María Pemán: Antología poética. 1944.

Se murió de un aire colado,
se murió de mirar las muchachas
(pobre rosa de tinta y papel)
en el puño del as de espadas.
Rumba, rumba, danza macabra.

Se murió con su traje de novia,
se murió sin decirnos nada.
Los ruiseñores se ponen de luto,
los quincalleros rifan lágrimas.
Rumba, rumba, danza macabra.

En el templo de las macetas,
cuatro curas con capas blancas
(entre herbarios, sobres y estufas)
cantan responsos de la botánica.
Rumba, rumba, danza macabra.
(Y sin embargo tengo un pulmón deshecho). [67]

16. Presente sin igual

Si queremos ofrecer suprema belleza a la bellezà humana insuperable, hemos de ofrecerle rosas y nada más. Lo dice Garcilaso, que de amante, de poeta y de caballero (¡qué gran caballero era!) tuvo más que todos:

...por ti la verde hierba, el fresco viento,
el blanco lirio y colorada rosa.. [68]

No, no nos engañemos: lo que está ofreciendo no es la verde hierba, no es el fresco viento, no es el blanco lirio: bien lo sabemos: ¡es la rosa!, la colorada rosa, la dulce reina del abril florido, y es por eso que cuando el poeta, esta vez José de Valdivieso, la voz más dulce del Siglo de Oro, que tanto ensalzó Cervantes y amó Lope, describe a la Virgen Santísima, aparición dichosa en un soñar de santidad, así lo dice:

---

67 F.C. Sáinz de Robles, Op. cit.
68 Garcilaso de la Vega y Juan Boscan, Op. cit.

Parece la hermosísima doncella
entre el hielo y la nieve rigurosa
como entre nubes matutina estrella,
o en medio del invierno fresca rosa... [69]

Y Antonio de Solís, en mágico poema, sin par posible, proclamando la indispensable presencia de la rosa, condición de la vida por ser ella la suprema belleza, sin la cual la vida no es posible:

Ven, aurora, ven
que de todas las flores
la reina la rosa es;
ven, ven,
que si falta la rosa
perecerá el vergel. [70]

Y en pleno neo-clasicismo, cuando se volvió chato el parnaso español, incomprensible agostamiento que jamás volverá, en el que la rosa fue olvidada casi por completo por los poetas, el agustino Juan Fernández de Rojas, a quien pintó Goya, emergiendo de la desolada chatura circundante, cantando lo mejor de la tierra, volvió fugazmente a la rosa en versos que parecen nacidos en un tiempo mejor:

... en verso alegre, pastoril, sonoro,
canto el fino granate de la rosa
o el subido volar de los halcones... [71]

17. Símbolo de la total perfección

Juan de Salinas, natural de Sevilla, finísimo poeta, doctor en teología por Salamanca, a quien fray Luis llamara "salinas de sabiduría e ingenio de azúcar", al crear la primera poesía

69 Romancero de Josef Valdivieso. Edición de Miguel Mir. Colección de Escritores Españoles. Madrid, 1880.
70 Antonio de Solís: Poesías sagradas y profanas. Madrid, 1692.
71 Poetas líricos del S. XVIII. Biblioteca de Autores Españoles, Tomo LXI.

íntegramente consagrada a la rosa en la lírica española, introdujo el tema de su absoluta superioridad sobre todas las flores, que corrió libre y caudalosamente por la poesía de la Península y la de esta inmensa América. He aquí esa semilla:

En alabanza de la rosa

en competencia del jazmín

El que eligió en el jardín
el jazmín no fue discreto,
que no tiene olor perfecto
si se marchita el jazmín:
mas la rosa hasta su fin,
porque su morir se alabe,
tiene olor más dulce y suave,
fragancia más olorosa:
luego, mejor es la rosa
y el jazmín menos suave.

Tú, que rosa y jazmín ves,
eliges la pompa breve
del jazmín, fragante nieve
que un soplo al céfiro es;
mas conociendo después
la altiva lisonja hermosa
de la rosa, cuidadosa,
la antepondrás a mi amor;
que es el jazmín poca flor,
mucha fragancia la rosa. [72]

El tema, al viajar a través de poetas y de años, fue creciendo y al fin llegó a su total estatura cuando Juan Ramón, colocando a la rosa como emblema y símbolo de la poesía, la proclamó concreta figura de la posible perfección:

---

72 F.C. Sáinz de Robles, Op. cit.

¡No la toques ya más
que así es la rosa! [73]

Así, con el poema, cuando alcanza a tomar su forma
completa, asimismo con la rosa: ya no la toques más, que así
es ella.

18. Parangón perfecto de la suma belleza

El hombre, para entender plenamente las cosas, necesita
compararlas: blanca como la nieve, buena como el pan, dura
como la roca, cruel como el acero, ardiente como el fuego,
ágil como el viento... bella como la rosa. La rosa es el parangón perfecto de la suma belleza.

Recién nacía la poesía castellana, poco antes había entrado en ella la rosa, a la vera de la Egipcíaca, cuya vida, espina
del pecado se convirtió en rosa de santidad, cuando ya el
Marqués de Santillán, experto catador de flores deliciosas y
humildes, cantó a la serrana de la Finojosa y para que se
entendiera cuan espléndida era su deliciosa belleza la comparó a la rosa:

Non creo las rosas
de la primavera
sean tan fermosas
nin de tal manera
fablando sin glosa
como esta vaquera
de la Finojosa. [74]

Cervantes es uno de los mayores poetas del Siglo de Oro,
a la misma altura de Lope, de Calderón, de Góngora: no

73 Juan Ramón Jiménez, Op. cit.
74 Marqués de Santillana, Op. cit.

desmerece un ápice de ellos, pero su poesía, esparcida por sus comedias y novelas, no ha sido mirada en conjunto y la gloria infinita del Quijote no incita a rescatarla en cuerpo aparte. En esa lírica, de técnica perfecta y alta inspiración, falta casi por completo la rosa. Solamente se la halla una vez, en la agobiadora selva del Persiles, cuando Feliciana reza a la Santísima Virgen —es en el capítulo V del libro III— y dice:

> ... la rosa
> de Jericó se halla en sus jardines
> con aquella color, y aún más hermosa
> que los más abrasados querubines. [75]

Para Cervantes, por lo tanto, la rosa era el adecuado parangón de la suma belleza.

Desde entonces, a través de los siglos, el que ama, el que recuerda, el que relata, el que ansía y el que llora, al comparar a la incomparable, con la rosa la compara, y le dice "tú, la rosa de luz cuando abre el día", como le dijo a su perfecta Federico Mendizábal, el poeta que ganó doce veces la flor natural en los Juegos Florales y sin embargo fue olvidado. [76]

19. Símbolo de la vida total

Don Ramón del Valle Inclán dedicó a la rosa, considerada como el símbolo total de la vida, de la de ayer, de hoy y de mañana, los treinta y tres poemas de su libro de poesía "El Pasajero", y en el cual el hombre (un hombre que siempre es Valle Inclán), pasajero del mundo y del universo, recorre su periplo, la vida, en todos los tiempos pecando y santificándo-se, blasfemando y orando, angélico y satánico, siendo la rosa el símbolo de todos sus momentos, cambiando siempre, pero siempre fiel al corazón del hombre eterno, que viene desde Adán y que, como ya se dijo, es siempre Valle Inclán, el

---

75 Miguel de Cervantes: Obras completas, Aguilar, 1949.
76 F. C. Sáinz de Robles, Op. cit.

"dolmen Valle Inclán", siempre viviente y siempre indestructible.

El índice de este maravilloso poemario es, en realidad, la letanía de la rosa rezada por el poeta de las barbas de chivo: Rosa de llamas, Rosa hiperbólica, Rosa del caminante, Rosa matinal, Rosa vespertina, Rosa de mi romería, Rosa del paraíso, Rosa astral, Rosa del sol, Rosa de melancolía, Rosa pánida, Rosa métrica, Rosa de Saulo, Rosa de furias, Rosa de túrbulos, Rosa de Oriente, Rosa del reloj, Rosa del pecado, Rosa de Belial, Rosa de bronce, Rosa de mi abril, Rosa de Zoroastro, Rosa gnóstica, la trae un cuervo, Rosa de Job, la trae una paloma, Rosa deshojada... En testimonio de admiración profunda al poeta que más amó a la rosa, tengamos aquí su mirífica.

Rosa de Oriente

Tiene al andar la gracia del felino,
es toda llena de profundos ecos,
enlabia con moriscos embelecos
su boca oscura cuentos de Aladino.

Los ojos negros, cálidos, astutos,
triste de ciencia antigua la sonrisa,
y la falda de flores una brisa
de índicos y sagrados institutos.

Cortó su mano en un jardín de Oriente
la manzana del árbol prohibido,
y enroscada a sus senos la Serpiente.

decora la lujuria de un sentido
sagrado. En la tiniebla transparente
de sus ojos la luz es un silbido. [77]

77 Ramón del Valle Inclán: Obras completas, Tomo II, Plenitud, 1954.

20. Final

Con ella terminamos. La rosa, a través de los siglos, reina en la poesía española en lengua castellana, obtiene el testimonio de los poetas desde el tono más encendido hasta la fina y encantadora burla, desde las llamas azules y purpúreas que arden en la poesía del Siglo de Oro hasta esa rosa de nieve que Ernestina de Champourcin inviste, transformándose en flor gélida, invadida de una castidad que la congela y que es, en realidad, el negativo de la que en llamas la devora. [78]

La rosa es, en la poesía española, la incesante imagen, cambiante y deliciosa, de la vida que hierve, terrible y adorable, invencible, más allá del tiempo, eterna como el mundo.

78 F.C. Sáinz de Robles, Op. cit.

INDICE

OBRAS COMPLETAS DE
ALEJANDRO CARRION

DATE DUE

DUE DATE SUBJECT TO CHANGE
IF A RECALL IS REQUESTED

DEMCO 12801830